R.J. Palacio (n. 1963, New York, SUA) este graficiană și scriitoare. A realizat designul a numeroase cărți înainte de a deveni ea însăși autoare. Palacio a așteptat ani la rând momentul potrivit pentru a scrie o carte. O întâlnire întâmplătoare cu o fetiță la un chioșc de înghețată a convins-o că momentul acela a sosit. Așa s-a născut *Minunea* (2012), un volum vândut în peste 1,5 milioane de exemplare. Cartea, cu mesajul ei „Alege să fii bun", a devenit un fenomen răspândit în lumea întreagă, venind în sprijinul luptei împotriva violenței în rândul elevilor.

Cartea lui Julian (2014) vine să completeze povestea despre Auggie Pullman cu o perspectivă inedită, prin vocea lui Julian, personajul „negativ" din *Minunea*, „agresorul".

R.J. Palacio

Cartea lui Julian

Traducere din engleză și note
de Iulia Arsintescu

ARTHUR

Redactor: Alina Ioan
Tehnoredactor: Mihaela Aramă
DTP copertă: Alexandru Daş

Descrierea CIP a Bibliotecii Naţionale a României
PALACIO, R. J.
    Cartea lui Julian / R. J. Palacio ; trad. de Iulia Arsintescu.
- Bucureşti : Editura Arthur, 2016

    ISBN 978-606-788-003-8

    I. Arsintescu, Iulia (trad.)
    821.111(73)-93-31=135.1

© Editura Arthur, 2016, pentru prezenta ediţie
Editura Arthur este un imprint al Grupului Editorial Art.

Julian

**Fii bun, pentru că
toți cei pe care îi întâlnești
poartă o bătălie grea.**

(Ian Maclaren)

Înainte

Poate că eu am creat stelele,
soarele şi aceste case enorme,
dar nu îmi mai aduc aminte.

(Jorge Luis Borges, *Casa lui Asterion*)

* * *

Frica nu-ţi poate face mai mult rău
decât un vis.

(William Golding, *Împăratul muştelor*)

Obișnuit

Bine, bine, bine.

Știu, știu, știu.

Nu m-am purtat frumos cu August Pullman! Mare scofală. Nu-i sfârșitul lumii, oameni buni. Hai să nu mai facem din țânțar armăsar, da? Pământul e mare și nu-i toată lumea drăguță cu toată lumea. Așa merg lucrurile. Chiar nu vreți să treceți peste asta? Cred că e momentul să mergeți mai departe și să vă vedeți de viață, da?

Fir-ar să fie!

Nu înțeleg. Chiar nu înțeleg. Acum sunt cel mai popular băiat din clasa a cincea, iar peste un minut devin, nu știu... Altceva. Asta doare. Tot anul ăsta a durut. În primul rând aș vrea ca Auggie Pullman să nu fi venit niciodată la Școala Beecher! Aș vrea să-și fi ținut ascunsă undeva fețișoara de monstru, ca în *Fantoma de la Operă*. Pune-ți o mască, Auggie! Ia-ți fața din fața mea, te rog. Totul ar fi mult mai ușor dacă pur și simplu ai dispărea.

Cel puțin pentru mine. Apropo, nu vreau să spun că pentru el ar fi floare la ureche. Știu că n-are cum să-i fie ușor nici lui să se uite zilnic în oglindă sau să meargă pe stradă. Dar asta nu-i problema mea. Problema mea este că totul s-a schimbat de când a venit el la mine la școală. Copiii sunt altfel. Eu sunt altfel. Iar asta înseamnă o mare belea.

Aş vrea ca totul să fie aşa cum era în clasa a patra. Mamă, ce ne mai distram pe-atunci! Jucam prinselea în curte şi nu că mă laud, dar toată lumea mă voia pe mine în echipă, ştiţi? Vă spun! Toată lumea voia să facă pereche cu mine la proiectele de studii sociale. Şi absolut toată lumea râdea de fiecare dată când spuneam ceva nostim.

La prânz, stăteam întotdeauna cu tovarăşii mei şi eram o gaşcă. Adică, chiar *eram*! Henry. Miles. Amos. Jack. Gaş-că adevărată! Şi era marfă. Aveam atâtea chestii secrete! Semne cu mâinile pentru tot.

Nu ştiu de ce a trebuit să se schimbe totul. Nu ştiu de ce toată lumea s-a prostit în legătură cu toate chestiile.

De fapt, *ştiu* de ce: din cauza lui Auggie Pullman. Cum a apărut el, lucrurile au încetat să mai fie ce-au fost. To-tul era cât se poate de obişnuit. Iar acum, totul este com-plet dat peste cap. Numai din cauza lui.

Şi a domnului Tushman. De fapt, într-un fel e numai vina domnului Tushman.

Telefonul

Îmi amintesc că mama a făcut mare caz de telefonul primit de la domnul Tushman. În seara aceea, la cină, a tot repetat ce mare onoare era chestia asta. Directorul gimnaziului sunase la noi acasă și o întrebase dacă mă lasă să fiu într-un fel de comitet de primire pentru un copil nou-venit la școală. Uau! Ce chestie! Mama se purta de parcă aș fi câștigat Oscarul sau așa ceva. A zis că treaba asta îi demonstra că școala recunoștea cu adevărat care erau elevii „speciali", ceea ce ei i se părea grozav. Mama nu-l cunoscuse până atunci pe domnul Tushman, pentru că el era directorul gimnaziului, iar eu abia terminasem clasele primare, dar zicea întruna, încântată nevoie mare, cât de drăguț se arătase la telefon.

Mama a fost întotdeauna ceva important pe la școală. Face parte din Consiliul Școlar, ceea ce nu știu exact ce înseamnă, dar pare să fie mare scofală. Și mereu se oferă voluntară pentru tot soiul de chestii. Dintre toate mamele, numai ea a fost reprezentantul clasei mele, în toți anii pe care i-am terminat până acum la Beecher. De fiecare dată. Face o mulțime de lucruri pentru școala aia.

Așa că, în ziua în care trebuia să particip la comitetul de primire, m-a lăsat în fața gimnaziului. A vrut să mă ducă înăuntru, da' i-am zis:

— Mamă, nu mai sunt la școala primară!

S-a prins și a plecat de-acolo cu mașina înainte să intru eu în clădire.

Charlotte Cody şi Jack Will erau deja în holul din faţă şi ne-am salutat. Am dat mâna cu Jack aşa cum făceam noi în gaşca noastră şi l-am salutat pe urmă pe paznicul de la poartă. Apoi ne-am dus spre biroul domnului Tushman. Era tare ciudat să fiu la şcoală când nu mai era nimeni acolo.

— Frate, am putea să ne dăm cu skateboardul pe aici şi n-ar şti nimeni, i-am spus lui Jack, alergând şi dându-mă ca pe gheţuş pe pardoseala netedă a holului, când paznicul nu ne mai putea vedea.

— Ha, da, a zis Jack, dar am băgat de seamă că pe măsură ce ne apropiam de biroul domnului Tushman, Jack devenea tot mai tăcut. De fapt, arăta de parcă i-ar fi venit să dea la boboci.

Când aproape că am ajuns în capul scărilor, s-a oprit.

— Nu vreau să fac treaba asta! a zis el.

M-am oprit lângă Jack. Charlotte ajunsese deja la etaj.

— Haideţi! a zis ea.

— Nu eşti tu şefa, i-am răspuns.

A clătinat din cap şi mi-a aruncat o „privire". Eu am râs şi l-am înghiontit cu cotul pe Jack. Ne plăcea s-o provocăm pe Charlotte Cody. Făcea mereu pe sclifosita!

— E total aiurea! a zis Jack, şi şi-a frecat faţa cu palmele.

— Ce anume? am întrebat.

— Ştii cine-i copilul cel nou? a zis el.

Am dat din cap că nu.

— Tu ştii cine este, corect? a întrebat-o el pe Charlotte, uitându-se în sus la ea.

Charlotte a coborât scările spre noi.

— Cred că da, a zis şi a făcut o mutră de parcă tocmai ar fi gustat ceva rău.

Jack a scuturat din cap şi pe urmă s-a lovit de trei ori cu palma peste frunte.

— Sunt un mare idiot că am spus da la treaba asta! a zis el, scrâşnind din dinţi.

— Stai aşa, despre cine-i vorba? am întrebat eu.

L-am apucat pe Jack de umăr ca să se uite la mine.

— Cred că îl cheamă August, a răspuns el. Îl ştii pe puştiul cu faţa?

Habar n-aveam despre ce vorbea.

— Glumeşti? a zis Jack. Nu l-ai văzut niciodată pe băiatul ăla? Stă în cartier. Uneori mai vine pe terenul de joacă. Trebuie să-l mai fi văzut până acum. Toată lumea l-a văzut.

— Nu locuieşte în acest cartier, a zis Charlotte.

— Ba da! a ripostat Jack pierzându-şi răbdarea.

— Nu, vreau să zic că *Julian* nu locuieşte în acest cartier, a răspuns ea la fel de nerăbdătoare.

— Şi ce importanţă are? am zis eu.

— Las-o baltă! m-a întrerupt Jack. Nu contează. Crede-mă, frate, n-ai văzut aşa ceva în viaţa ta!

— Nu fi rău, te rog, Jack, a zis Charlotte. Nu-i frumos.

— Nu sunt rău deloc! a zis Jack. Spun doar adevărul.

— Da' cum arată, mai exact? am întrebat eu.

Jack n-a răspuns. A rămas doar pe loc şi a clătinat din cap. M-am uitat la Charlotte, care s-a încruntat.

— O să vezi, a zis ea. Hai să mergem odată, bine?

S-a întors, a urcat scara până sus şi a dispărut pe holul dinspre biroul domnului Tushman.

— Jack, frate, haide! am zis eu.

M-am prefăcut că-i ard una peste faţă. Asta l-a făcut să râdă un pic şi să-mi repeadă un pumn cu încetinitorul. Şi aşa am ajuns să jucăm „splina", un joc în care trebuia să ne pocnim unul pe celălalt în coaste.

— Veniţi, băieţi! ne-a ordonat Charlotte din capul scărilor.

Se întorsese după noi.

— „Veniți, băieți!", am maimuțărit-o eu în șoaptă, iar de data asta Jack parcă chiar a râs.

Dar imediat după ce am cotit pe hol și am ajuns la biroul domnului Tushman, am devenit cu toții foarte serioși.

După ce am intrat, doamna Garcia ne-a spus să așteptăm în biroul sorei Molly, o cămăruță de lângă biroul domnului Tushman. Cât timp am așteptat, nu ne-am spus nimic unul altuia. Eu am rezistat tentației să umflu un balon din mănușile de cauciuc aflate într-o cutie lângă masa de consultație, deși știam că așa i-aș fi făcut pe toți să râdă.

Domnul Tushman

Domnul Tushman a intrat în birou. Era înalt, mai degrabă slab, cu părul cărunt și ciufulit.

— Salut, copii, a zis el zâmbind. Eu sunt domnul Tushman. Tu trebuie să fii Charlotte. I-a strâns mâna. Iar tu ești...?

S-a uitat la mine.

— Julian, am zis.

— Julian, a repetat el zâmbind.

Mi-a strâns mâna.

— Și tu ești Jack Will, i-a spus apoi lui Jack și a dat mâna și cu el.

Domnul Tushman s-a așezat pe un scaun de lângă biroul sorei Molly.

— În primul rând vreau să vă mulțumesc foarte mult că ați venit azi încoace. Știu că e o zi călduroasă și probabil aveați alte lucruri mai bune de făcut. Cum v-a mers vara asta? Bine?

Am dat toți din cap, uitându-ne unii la alții.

— Dumneavoastră cum v-a mers vara asta? l-am întrebat eu.

— Frumos din partea ta să mă întrebi, Julian! a răspuns el. Am avut o vară minunată, mulțumesc. Deși aștept cu nerăbdare toamna. Urăsc vremea asta foarte încinsă.

S-a tras de cămașă.

— Tânjesc de-a dreptul după iarnă.

Noi tot dădeam din cap ca niște caraghioși. Nu știu de ce adulții își mai pun mintea să stea de vorbă cu niște copii. Nu reușesc decât să ne facă să ne simțim aiurea. Vreau să zic, eu personal mă descurc destul de bine să stau de vorbă cu oamenii mari – poate din cauză că am călătorit mult și am mai discutat cu o mulțime de adulți – dar copiilor nu le place să stea la palavre cu cei mari. Pur și simplu așa stă treaba. Și eu, dacă-i văd pe părinții vreunui prieten de-al meu și nu suntem *la școală*, încerc să nu mă uit la ei ca să nu fiu nevoit să vorbim. Este aiurea rău. Și e la fel de aiurea când dai nas în nas cu un profesor în afara școlii. Odată am văzut-o pe o profesoară de-a mea din clasa a treia la restaurant cu prietenul ei și a fost *grrrr!* Nu vreau să-mi văd profesoarele cu iubitul în oraș, pricepeți?

Carevasăzică, eram acolo eu, Charlotte și Jack și dădeam din cap ca niște hopa-mitică, în timp ce domnul Tushman îi tot dădea înainte cu pălăvrăgeala despre vară. Mă rog, în cele din urmă – *în cele din urmă!* – a ajuns la subiect.

— Copii, a zis el, lovindu-și coapsele cu palmele, foarte frumos din partea voastră că v-ați dedicat o după-amiază ca să faceți acest gest. În câteva minute vă voi prezenta unui băiat care o să vină în biroul meu, dar înainte de asta vreau să aflați câte ceva despre el. Le-am vorbit oarecum mamelor voastre despre el. V-au spus ceva?

Charlotte și Jack au încuviințat amândoi din cap, dar eu am făcut semn că nu.

— Mama mi-a spus numai că a suferit o mulțime de operații, am zis.

— Da, este adevărat, a zis domnul Tushman. Dar despre fața lui ți-a explicat ceva?

Mărturisesc că în clipa aceea am început să mă gândesc: *Bun, eu ce naiba caut aici?*

— Păi, nu ştiu, am zis, scărpinându-mă în cap.

Am încercat să-mi amintesc ce-mi spusese mama. Nu-i prea dădusem atenţie. Cred că în majoritatea timpului a tot repetat ce onoare era că mă aleseseră pe mine pentru treaba cu pricina. Nu insistase deloc asupra faptului că ceva n-ar fi fost în regulă cu băiatul ăla.

— A spus că *dumneavoastră* aţi spus că băiatul are o grămadă de cicatrice şi chestii. Ca şi cum ar fi fost prins într-un incendiu.

— Nu chiar, a zis domnul Tushman ridicând din sprâncene. I-am spus mamei tale că este un băiat complet diferit din punct de vedere cranio-facial...

— A, da, da, da! l-am întrerupt eu, pentru că atunci mi-am amintit. A folosit cuvântul ăsta. A zis că are buză de iepure sau ceva.

Domnul Tushman a încreţit fruntea.

— Ei bine, a zis el, ridicând din umeri şi clătinându-şi capul în stânga şi în dreapta, este ceva mai mult de-atât.

S-a ridicat şi m-a bătut pe umăr.

— Îmi pare rău dacă n-am reuşit să-i explic destul de bine mamei tale. În orice caz, n-aş vrea să te fac să te simţi stânjenit. De fapt, tocmai pentru că aş vrea să nu vă simţiţi stânjeniţi stau acum de vorbă cu voi. Am vrut să vă anunţ că băiatul cu pricina este foarte diferit de toţi ceilalţi copii. Nu-i un lucru secret. El ştie că arată diferit. Aşa s-a născut. A înţeles asta. Este un copil minunat. Foarte deştept. Foarte bun. N-a mai mers niciodată la o şcoală obişnuită pentru că a învăţat acasă, ştiţi, din cauza tuturor acelor operaţii. De aceea vă rog pe voi să-i arătaţi puţin ce-i pe-aici, să-l cunoaşteţi, să-l întâmpinaţi cum se cuvine şi să vă împrieteniţi. Puteţi să-l întrebaţi orice doriţi. Vorbiţi cu el normal. Este un copil absolut normal cu o faţă... nu la fel de normală.

Domnul Tushman s-a uitat la noi și a tras adânc aer în piept.

— Doamne, cred că acum chiar v-am făcut să aveți emoții, așa-i? a adăugat el.

Am dat din cap în semn că nu. El și-a frecat fruntea.

— Știți, a zis domnul Tushman, unul dintre lucrurile pe care le înveți când ajungi la vârsta mea este că uneori se ivește câte o situație nouă în care habar nu ai ce să faci. Nu există manuale care să-ți spună cum să te comporți în fiecare situație din viață, știți? De aceea eu spun mereu că întotdeauna este mai bine să te situezi de partea binelui. Ăsta-i secretul. Când nu știi ce să faci, fii bun. Nu poți da greș. De aceea v-am rugat pe voi trei să mă ajutați, pentru că am auzit de la profesorii din clasele voastre mai mici că sunteți cu toții copii foarte de treabă.

N-am știut ce să-i răspundem, așa că am zâmbit toți ca fraierii.

— Purtați-vă cu el la fel cum v-ați purta cu oricare puști pe care tocmai l-ați cunoscut, a zis domnul Tushman. Asta-i tot ce încerc să vă explic. Bine, copii?

Iar am dat din cap cu toții. Curat hopa-mitică!

— Sunteți grozavi, a zis el. Relaxați-vă, mai așteptați aici puțin, iar doamna Garcia o să vină peste câteva minute după voi.

A deschis ușa, apoi s-a întors.

— Hei, a zis, vă mulțumesc din nou pentru ce faceți. Capeți o karma[1] bună când faci bine. E mitzvah[2], știți?

După asta a zâmbit, ne-a făcut cu ochiul și a ieșit.

---

[1] Concept filozofico-religios conform căruia fiecare faptă are o urmare în sens bun sau rău.

[2] Termen ebraic folosit aici în sens de faptă lăudabilă, plăcută divinității.

Am răsuflat toți trei în același timp. Ne-am uitat unii la alții cu ochi mari.

— Bun, a zis Jack, eu nu știu ce naiba înseamnă karma și nu știu ce naiba înseamnă mitzvah!

Asta ne-a făcut să râdem puțin, dar a fost mai degrabă un râs nervos.

La prima vedere

N-o să intru în detalii în legătură cu ce s-a întâmplat mai departe în ziua aceea. Vreau doar să subliniez că, pentru prima oară în viața lui, Jack nu exagerase. De fapt, dimpotrivă. Există vreun cuvânt care să însemne opusul lui „exagerat"? Nu știu. Dar Jack categoric *nu* exagerase în legătură cu fața băiatului.

Prima dată când m-am uitat la August, ei bine, mi-a venit să vreau să-mi acopăr ochii și s-o rup la fugă urlând. Bam! Știu că sună rău și regret. Dar ăsta-i adevărul. Iar oricine susține că n-a avut *aceeași* reacție când l-a văzut prima oară pe Auggie Pullman minte. Serios.

După ce l-am văzut, nu-mi doream decât să ies pe ușă, dar știam că dădeam de belea dacă o făceam. Așa că m-am uitat mai departe numai la domnul Tushman și am încercat să ascult ce spunea, dar nu auzeam decât *țiu, țiu, țiu, țiu*, pentru că îmi luaseră foc urechile. Iar în capul meu cam așa: *Frate! Frate! Frate! Frate! Frate! Frate! Frate! Frate! Frate! Frate!*

Frate! Frate! Frate! Frate! Frate! Frate!

Cred că mi-am spus cuvântul ăsta de o mie de ori. Nu știu de ce.

La un moment dat, domnul Tushman ni l-a prezentat pe Auggie. Aaaa! Cred că de fapt am dat mâna cu el. De trei ori aaaa! Aș fi vrut să mă fac mic și s-o șterg de-acolo cât ai clipi, ca să mă spăl pe mâini. Dar până să-mi dau

seama ce se întâmplă, ieşiserăm pe uşă, ajunseserăm pe
scări şi urcam.

*Frate! Frate! Frate! Frate! Frate! ! Frate! Frate! Frate!
Frate! Frate!*

Am prins privirea lui Jack în timp ce urcam către clasa
noastră. Am făcut ochii mari de tot şi am rostit numai din
buze:

— Nu se poate aşa ceva!

Jack mi-a răspuns la fel.

— Ţi-am spus eu!

Speriat

Când aveam vreo cinci ani, mă uitam într-o seară la un episod din *SpongeBob* și a apărut o reclamă care m-a scos din minți. Mai erau câteva zile până la Halloween. O mulțime de reclame din perioada aceea a anului erau genul de groază, dar asta era la un film nou pentru adolescenți de care nu mai auzisem până atunci. Și brusc, în timp ce mă uitam, un zombi a apărut în prim-plan și a umplut tot ecranul. Ei bine, m-a scos total din minți de frică! Vreau să zic, m-a înfricoșat așa cum te sperii când o iei la fugă din cameră cu mâinile deasupra capului, urlând. ÎNFFF-RIIII-COOO-ȘAAAT!

După aceea, de groază să nu mai văd vreodată fața acelui zombi, nu m-am mai uitat deloc la televizor, la nimic, până când a trecut Halloweenul și filmul ăla n-a mai rulat în cinematografe. Pe bune, nu m-am mai uitat absolut deloc la televizor – *atât* de îngrozit am fost.

Nu după multă vreme, m-am dus să mă joc acasă la un copil al cărui nume nu-l mai țin minte. Iar copilul ăsta era de-a dreptul înnebunit după Harry Potter, așa că am început să ne uităm la un film cu Harry Potter (nu mai văzusem niciunul până atunci). Când am văzut prima oară fața lui Voldemort, am pățit exact ce pățisem la reclama de dinainte de Halloween. Am început să urlu isteric și să bocesc ca un țânc. A fost așa de rău, încât mama băiatului ăluia n-a reușit să mă liniștească și a trebuit s-o sune pe mama să vină să mă ia. Mama s-a înfuriat că mama copilului celuilalt mă lăsase să mă uit la film, au ajuns să se certe şi – ca să scurtez povestea – n-am mai avut voie să mă duc să mă joc acasă la altcineva. Dar eu, după reclama cu zombi de la Halloween şi faţa fără nas a lui Voldemort, am rămas complet întors pe dos.

Pe urmă, spre ghinionul meu, cam în aceeaşi perioadă, tata m-a dus la film. Din nou, nu uitaţi că aveam numai cinci ani. Poate să fi făcut şase, între timp. N-ar fi trebuit să fie nicio problemă: am mers la un film cu audienţă generală, absolut ca lumea, deloc de speriat. Dar înainte de el a apărut un trailer la *Scary Fairy,* alt film despre zâne diabolice. Ştiu – zânele sunt o chestie de toată jena! – şi, când mă gândesc acum, nu-mi vine să cred că m-am speriat în halul ăla de astfel de chestii, numai că atunci trailerul ăla m-a umplut de groază. Tata a trebuit să mă scoată din sala de cinematograf pentru că – din nou, fir-ar să fie! – nu mă puteam opri din plâns. A fost atât de jenant! Adică, să mă sperii de zâne? Ce mai urma? Poneii zburători? Păpuşile de cârpă? Fulgii de zăpadă? Era nebunie curată! Dar aşa s-a întâmplat, am ieşit din cinematograf tremurând tot, urlând, cu faţa ascunsă în haina tatei. Nu mă îndoiesc că se aflau în public puşti de trei ani care se uitau la mine ca la un mare ratat!

Asta-i treaba cu speriatul. Nu te poţi controla. Când te sperii, te sperii. Iar când eşti speriat, totul pare şi mai înspăimântător decât ar fi de obicei – chiar şi lucrurile care nu merită. Tot ce te sperie parcă se adună laolaltă ca să-ţi dea un sentiment uriaş de frică. Parcă te-ar înveli o pătură de frică, iar pătura asta e făcută din cioburi de sticlă, rahat de câine, puroi cleios şi bube groaznice de zombi.

Am început să am coşmaruri oribile. Mă trezeam urlând în fiecare noapte. Am ajuns până acolo încât îmi era frică să mă culc pentru că nu voiam să am din nou un coşmar. Am început să dorm la părinţii mei în pat. Aş vrea eu să pot spune că asta s-a întâmplat numai vreo două nopţi, dar a durat cam şase săptămâni. Nu-i lăsam să stingă lumina. Aveam atacuri de panică de fiecare dată când simţeam că mă ia somnul. Îmi transpirau palmele şi inima mi-o lua razna, mă apuca plânsul şi urlam deja înainte să mă bag în pat.

Părinţii mei m-au dus la un „doctor de emoţii" despre care abia mai târziu mi-am dat seama că era un psiholog pentru copii. Doctoriţa Patel m-a ajutat puţin. A zis că aveam ceva ce se numea „teroare nocturnă" şi m-a ajutat să vorbesc cu ea despre ce simţeam. Cred însă că ceea ce m-a scăpat de-adevăratelea de coşmaruri au fost nişte înregistrări ale unor documentare despre natură de pe Discovery pe care mi le-a adus mama. Ura-ura pentru filmele alea despre natură! Ai mei puneau în fiecare seară un DVD, iar eu adormeam pe sunetul vocii unui tip cu accent britanic care vorbea despre manguste, koala sau meduze.

Până la urmă, totuşi, am scăpat de coşmaruri. Totul a revenit la normal. Din când în când mai aveam însă ceea ce mama numeşte „câte o uşoară recădere". De pildă, deşi acum îmi place *Războiul Stelelor,* prima dată când am văzut *Războiul Stelelor: Episodul II,* la aniversarea cuiva la care rămăsesem să dorm când aveam opt ani, a trebuit să-i dau mesaj mamei la două noaptea să vină să mă ia, pentru că de fiecare dată când închideam ochii îmi apărea brusc în cap faţa lui Darth Sidious. Am avut nevoie de trei săptămâni de documentare despre natură ca să trec peste noul şoc (în plus, vreme de un an n-am mai rămas peste noapte în altă parte). Pe urmă, la nouă ani, am văzut prima dată *Stăpânul inelelor: Cele două turnuri* şi mi s-a întâmplat același lucru, deși de data asta a durat numai o săptămână până mi l-am scos din minte pe Gollum.

După ce am împlinit zece ani, totuși, coșmarurile astea au cam dispărut de tot. Mi-a dispărut chiar și spaima că le voi avea. Adică, dacă mă duceam la Henry acasă și el spunea: „Hei, hai să ne uităm la un film de groază", nu mă gândeam întâi și-ntâi *Nu vreau, că s-ar putea să am un coșmar!"* (așa cum făceam mereu înainte). Prima mea reacție era de-acum: „*Da, marfă! Unde-s floricelele de porumb?"* Cu timpul am reușit să pot urmări din nou tot felul de filme. Mă uitam chiar și la chestii cu apocalipsa zombi și nu mă mai deranja nimic. Treaba cu coșmarurile trecuse.

Sau așa credeam eu.

Pentru că în seara zilei când l-am cunoscut pe Auggie Pullman am început din nou să am coșmaruri. Nu mi-a venit să cred. Nu s-au întors numai visele rele, ci toată povestea – îmi bubuia inima, mă trezeam urlând – toate chestiile pe care le avusesem când eram mic. Numai că acum nu mai eram mic.

Eram în clasa a cincea! Aveam unsprezece ani! Nu se punea problema să mai pățesc dintr-astea!

Și uite așa am ajuns iar să mă uit la documentare despre natură ca să pot să adorm.

Fotografie cu clasa

A m încercat să-i explic mamei cum arăta Auggie, dar ea nu s-a prins decât când au venit prin poștă fotografiile făcute la școală. Până atunci nu-l văzuse. Când cu Festivalul Zilei Recunoștinței, fusese plecată în delegație, așa că nu-l întâlnise. În ziua Muzeului Egiptean, fața lui Auggie era acoperită de tifon pentru că făcea pe mumia. Iar concerte după ore încă nu fuseseră. Așa că mama l-a văzut prima dată pe Auggie și a început *în sfârșit* să înțeleagă de ce aveam coșmaruri abia atunci când a deschis plicul mare cu fotografia clasei mele.

A fost, de fapt, destul de caraghios. Vă pot spune precis cum a reacționat, pentru că am urmărit-o deschizând plicul. Mai întâi, l-a tăiat curioasă și nerăbdătoare cu un cuțit pentru scrisori. Pe urmă a scos portretul meu individual. A dus mâna la inimă.

— Vai, Julian, ce chipeș ești! a zis ea. Sunt tare bucuroasă că ai purtat cravata trimisă de *grandmère*[1].

Eu mâncam înghețată la masa din bucătărie. I-am zâmbit și am dat din cap.

Pe urmă am văzut-o scoțând din plic fotografia clasei. În școala primară, fiecare clasă se fotografiază împreună cu profesorul ei, dar la gimnaziu se face un singur grup cu tot anul celor dintr-a cincea. Așa că eram șaizeci de

---

[1] Bunica (în limba franceză în original).

copii în picioare în faţa intrării în şcoală. Câte cincispre-
zece copii pe rând. Patru rânduri. Eu stăteam în ultimul
dintre ele, între Amos şi Henry.

Mama se uita la fotografie cu un zâmbet pe chip.

— Ah, iată-te! a exclamat ea când m-a găsit.

A continuat să se uite la fotografie cu acelaşi zâmbet
pe chip.

— Mamă, ce mare a crescut Miles! a zis ea. Iar ăsta-i
Henry? Arată de parcă i-ar da mustaţa. Dar cine este...
Aici a tăcut. Zâmbetul i-a rămas împietrit pe faţă o
secundă sau două, apoi am văzut-o cum intră în stare de
şoc.

A lăsat poza jos şi s-a uitat în gol în faţa ei. Pe urmă a
privit din nou fotografia.

Apoi s-a uitat la mine. Nu zâmbea.

— Ăsta este băiatul despre care mi-ai vorbit? m-a în-
trebat.

Vocea i se schimbase complet.

— Ţi-am spus, am răspuns eu.

S-a uitat din nou la poză.

— Nu-i doar o buză de iepure.

— Nimeni n-a spus vreodată că *ar fi* o buză de iepure.
Domnul Tushman n-a susţinut niciodată aşa ceva.

— Cum să nu? Atunci, la telefon.

— Nu, mamă, am răspuns eu. Ţi-a spus că are „proble-
me faciale", iar tu ai presupus că asta însemna buză de
iepure, dar el n-a rostit niciodată cuvintele: „buză de ie-
pure".

— Pot să jur că aşa mi-a spus, că băiatul are buză de
iepure, a răspuns ea. Văd că este vorba despre mult mai
mult de-atât.

Părea de-a dreptul uluită. Nu-şi putea dezlipi ochii de
la fotografie.

— De fapt, ce are exact? Este întârziat în dezvoltare? Arată ca și cum ar fi.

— Nu cred, am ridicat eu din umeri.

— Vorbește bine?

— Mai mult mormăie, am răspuns. Uneori îl înțelegi greu.

Mama a lăsat fotografia pe masă și s-a așezat. A început să bată darabana cu degetele în tăblie.

— Încerc să-mi dau seama care-o fi mama lui, a zis ea, clătinând din cap. Sunt atâția părinți noi la școală, încât nu reușesc s-o ghicesc. E blondă?

— Nu, are părul negru, am zis eu. O văd uneori când vine să-l ia după ore.

— Arată și ea... ca băiatul ei?

— O, nu, câtuși de puțin, am zis.

M-am așezat lângă mama, am ridicat fotografia și m-am uitat la ea cu ochii mijiți, ca să n-o văd prea clar. Auggie stătea pe rândul din față, exact în marginea din stânga.

— Ți-am spus, mamă. Tu nu m-ai crezut, dar eu ți-am spus.

— Nu-i vorba că nu te-am crezut, s-a apărat ea. Numai că... sunt surprinsă. Nu mi-am dat seama că este atât de grav. A, cred că știu care-i mama lui. O femeie foarte drăguță, oarecum exotică, brunetă și cu părul ondulat?

— Ce? am ridicat eu din umeri. Nu știu. E o mamă.

— Cred că o știu, a zis mama, dând aprobator din cap ca pentru sine. Am văzut-o la seara părinților. Și soțul ei e frumos.

— Habar n-am, am zis eu clătinând din cap.

— Vai, sărmanii oameni!

Și-a pus din nou mâna pe inimă.

— Acum te-ai prins de ce am început să am din nou coșmaruri? am întrebat-o.

Și-a trecut degetele prin părul meu.

— Le ai în continuare? m-a întrebat.

— Da. Nu în fiecare noapte, ca în prima lună de școală, dar le am! am zis, aruncând iar fotografia pe masă. De ce a trebuit să vină băiatul ăsta la Școala Beecher? M-am uitat la mama, care nu știa ce să-mi răspundă. A început să împingă fotografia la loc în plic.

— Nici să nu te gândești s-o pui la albumul meu școlar, apropo, am zis eu răspicat. Poate că ar trebui s-o arzi.

— Julian... a zis ea.

Pe urmă, din senin, am început să plâng.

— Of, dragul meu, a spus mama, oarecum surprinsă, apoi m-a luat în brațe.

— Nu mă pot abține, mamă, am zis eu printre lacrimi. Nu pot să sufăr că trebuie să-l văd în fiecare zi!

În noaptea cu pricina am avut același coșmar pe care îl tot aveam de la începutul clasei a cincea. Mergeam pe holul școlii și toți copiii stăteau în fața dulapurilor lor, holbându-se la mine și șușotind în timp ce treceam pe lângă ei. Am continuat să merg până am ajuns la toaletă și acolo m-am uitat în oglindă. Când m-am văzut, nu m-am văzut pe mine. Eram Auggie. Și atunci am început să țip.

Photoshop

Î̂n dimineața următoare, i-am auzit pe mama și pe tata stând de vorbă în timp ce se pregăteau să plece la serviciu. Eu mă îmbrăcam pentru școală.

— Ar fi trebuit să facă mai mult ca să-i pregătească pe copii, i-a spus mama tatei. Școala ar fi trebuit să ne trimită scrisori acasă sau ceva de genul ăsta, nu știu.

— Ei, haide, a zis tata. Ca să ne spună ce? Ce-ar fi putut să spună? „Vine la voi în clasă un copil hâd"? Fii serioasă.

— Este mai mult de-atât.

— Hai să nu facem prea mare caz de asta, Melissa.

— Tu nu l-ai văzut, Jules, a zis mama. Este un caz grav. Părinții trebuiau avertizați. *Mie* ar fi trebuit să mi se spună! Mai ales cu tulburările de anxietate ale lui Julian.

— Tulburări de anxietate? am strigat eu de la mine din cameră.

Am dat fuga la ei în dormitor.

— Credeți că sufăr de tulburări de anxietate?

— Nu, Julian, a zis tata. N-a spus nimeni așa ceva.

— Tocmai a spus mama! am replicat eu, arătând spre ea. Am auzit cum a spus „tulburări de anxietate". Care-i treaba, voi credeți că am probleme de sănătate mintală?

— Nu! au exclamat amândoi.

— Numai din cauză că am coșmaruri?

— Nu! au strigat ei.

— Nu-s eu de vină că a venit ăsta la mine la școală! am țipat. Nu-i vina mea că mă sperie!

— Sigur că nu, scumpule, a zis mama. Nimeni nu susține așa ceva. N-am vrut să spun decât că școala ar fi trebuit să mă avertizeze, ținând cont de coșmarurile tale din trecut. Atunci măcar aș fi înțeles mai bine de ce ai din nou coșmaruri. Aș fi știut ce anume ți le-a declanșat.

M-am așezat pe marginea patului lor. Tata ținea în mână fotografia cu clasa și în mod evident o vedea pentru prima oară.

— Sper că aveți de gând să dați foc pozei ăsteia, am zis eu și nu glumeam deloc.

— Nu, scumpule, a zis mama, așezându-se lângă mine. Uite ce am făcut.

A luat de pe noptieră altă fotografie și mi-a întins-o. La început am crezut că e o copie a fotografiei cu clasa, pentru că avea exact aceeași mărime cu cea pe care o ținea în mână tata și totul părea identic. M-am uitat scârbit în altă parte, dar mama mi-a arătat cu degetul un anumit loc din fotografie – locul unde stătuse Auggie! Nu mai era nicăieri.

Nu mi-a venit să cred! Nici urmă de el!

M-am uitat la mama, care radia de încântare.

— Magia Photoshopului! a zis ea veselă, bătând din palme. Acum poți privi această fotografie fără să-ți fie pătată amintirea clasei a cincea, a zis ea.

— Marfă! am zis eu. Cum ai făcut asta?

— Mă pricep destul de bine la Photoshop, a răspuns ea. Mai ții minte anul trecut, cum am făcut cerul să fie albastru în toate fotografiile noastre din Hawaii?

— Nu puteai să-ți mai dai seama nicicum că a plouat în fiecare zi, a zis tata, clătinând din cap.

— N-ai decât să râzi cât vrei, a zis mama, dar acum, când mă uit la pozele acelea, nu mă gândesc cum vremea rea aproape că ne-a distrus excursia. Îmi amintesc doar că am avut o vacanță minunată! Exact cum vreau să-ți amintești și tu că a fost clasa a cincea la Școala Beecher. Da, Julian? Amintiri frumoase. Niciun fel de urâțenie.

— Mulțumesc, mamă, am zis eu și am îmbrățișat-o cu putere.

Nu i-am mai spus, desigur, că deși albăstrise cerul din fotografii, eu nu-mi aminteam decât că a fost foarte frig și că a plouat întruna cât am stat în Hawaii – în ciuda magiei Photoshopului.

Cum am fost rău

Fiți atenți, nu m-am purtat urât de la început. Vreau să zic că nu sunt un copil rău. Sigur, uneori fac glume, dar nu sunt glume răutăcioase. Sunt doar glume provocatoare. Oamenilor le place să se mai destindă nițel. Bun, poate că uneori glumele mele or fi puțin răutăcioase, dar fac glumele alea numai pe la spatele cuiva. Nu-i spun niciodată nimănui în față ceva ce l-ar putea răni. Nu agresez pe nimeni. Și nu urăsc pe nimeni, fraților!

Atenție, oameni buni! Nu mai fiți atât de sensibili. Unii au înțeles perfect treaba cu Photoshopul, alții nu. Lui Henry și lui Miles li s-a părut atât de cool, încât au vrut ca mama să le trimită și mamelor lor poza prin e-mail. Lui Amos i s-a părut „nașpa". Charlotte a dezaprobat-o total. Nu știu ce părere a avut Jack, pentru că trecuse deja cu totul de partea întunericului. Adică anul ăsta abandonase gașca total și acum își petrecea timpul numai cu Auggie. Asta m-a supărat, însemna că eu nu mai puteam pierde vremea cu el deloc. Nici vorbă să fi avut de gând să mă molipsesc de ciumă de la monstrul ăla! Ăsta era numele unui joc inventat de mine. Ciuma. Era simplu: dacă îl atingeai pe Auggie și nu te spălai ca să te decontaminezi, mureai. Îl juca toată lumea din clasă. În afară de Jack.

Și de Summer.

33

Cu ea a fost o chestie aiurea. O cunoșteam pe Summer din clasa a treia și nu-i dădusem niciodată atenție, numai că anul ăsta lui Henry începuse să-i placă de Savanna și cică „ieșeau împreună". Acuma... „ieșeau împreună" nu înseamnă așa, ca la liceu, o treabă scârboasă și dezgustătoare. La noi, să ieși cu cineva înseamnă să-ți petreci mai multă vreme cu persoana respectivă, să te întâlnești cu ea la dulapuri și uneori să te duci după ore la chioșcul de înghețată de pe Bulevardul Amesfort. Deci întâi a început să iasă Henry cu Savanna și pe urmă a început să iasă și Miles cu Ximena. Eu m-am gândit: „Frate, și cu mine cum rămâne?" Apoi Amos a zis: „O s-o rog pe Summer să iasă cu mine", iar eu am sărit: „Nici nu te gândi, eu o invit pe Summer!" Și atunci a început cumva să-mi placă de Summer.

Dar s-a dovedit absolut și sfâșietor că Summer, la fel ca Jack, era în tabăra lui Auggie. Însemna că nici vorbă să ies cu ea de vreun fel. Nu puteam nici măcar să-i zic „salut, care-i treaba" sau ceva de felul ăsta, pentru că atunci monstrul putea să creadă că vorbeam cu el. Așa că i-am spus lui Henry să-i spună Savannei s-o invite pe Summer la petrecerea de Halloween de la Savanna de-acasă. M-am gândit că poate stau acolo cu ea și reușesc chiar s-o rog să iasă cu mine. Da' n-a ținut treaba, pentru că Summer s-a cărat devreme de la petrecere. Iar după aceea și-a petrecut tot timpul cu monstrul.

Bine, bine! Știu că nu-i frumos să-l numesc „monstru", dar cum am mai zis și înainte, oamenii de pe-aici ar trebui să înceapă să nu mai fie atât de sensibili! Hei, lume-lume, nu-i decât o glumă! Nu mă luați așa de în serios! Nu sunt rău. Sunt doar hazliu!

Tot asta făceam, glume, exact asta, și în ziua în care mi-a tras Jack Will un pumn. Glumeam și mă distram! Mă prosteam.

Nici nu mi-a *trecut* prin cap ce urma să se întâmple. Aşa cum îmi aduc aminte eu, ne prosteam şi glumeam împreună şi dintr-odată mi-a ars una în gură fără niciun motiv. Bum! Şi-atunci eu am zis: „Auuuu! Smintit nenorocit! Ai dat în mine? Chiar ai dat în mine?"

Pe urmă m-am trezit în cabinet la sora Molly, cu un dinte în mână şi cu domnul Tushman lângă mine, care vorbea la telefon cu mama şi îi spunea că o să mă ducă la spital. Am auzit-o pe mama ţipând la celălalt capăt al firului. Pe urmă doamna Rubin, decanul gimnaziului, m-a condus la ambulanţă şi am plecat la spital. Nebunie curată!

Când eram în ambulanţă, doamna Rubin m-a întrebat dacă ştiu de ce m-a lovit Jack. Iar eu: „Ha! pentru că-i total nebun!" Nu că puteam vorbi prea mult, pentru că mi se umflaseră buzele şi aveam gura plină de sânge.

Doamna Rubin a rămas cu mine la spital până când a apărut mama. Mama era mai mult decât isterică, după cum vă puteţi da seama. Izbucnea dramatic în plâns de câte ori îmi vedea faţa. Tre' să recunosc că era cam jenant.

Pe urmă a apărut şi tata.

— Cine a făcut asta? a întrebat el din prima, strigând la doamna Rubin.

— Jack Will, a răspuns calmă doamna Rubin. Se află acum cu domnul Tushman.

— Jack Will? a strigat şocată mama. Cunoaştem familia Will. Cum a fost posibil?

— Se va face o anchetă amănunţită, a răspuns doamna Rubin. În acest moment cel mai important este că Julian o să fie bine...

— Bine? a urlat mama. Uitaţi-vă la faţa lui! Vi se pare că arată bine? Mie nu mi se pare. Este inadmisibil! Ce fel de şcoală sunteţi? Credeam că la Şcoala Beecher elevii nu-şi cară pumni unui altora. Credeam că de asta plătim patruzeci de mii de dolari pe an, ca băiatul nostru să nu fie lovit.

— Doamnă Albans, a zis doamna Rubin, ştiu că sunteţi supărată...

— Presupun că băiatul acela va fi exmatriculat, nu-i aşa? a zis tata.

— Tată! am strigat eu.

— Vom trata problema în cel mai potrivit mod cu putinţă, vă asigur, a răspuns doamna Rubin, încercând să nu ridice tonul. Acum, dacă nu aveţi nimic împotrivă, cred că o să vă las singuri. Doctorul se va întoarce şi veţi putea sta de vorbă cu el, dar mie mi-a spus că băiatul nu are nimic rupt. Julian e bine. Şi-a pierdut o măsea de lapte de jos, care oricum stătea să cadă. O să vă dea nişte calmante pentru dureri şi probabil că e bine să puneţi gheaţă. Mai vorbim mâine-dimineaţă.

De-abia atunci mi-am dat seama că bluza şi fusta sărmanei doamne Rubin erau pătate peste tot cu sângele meu. Frate, din gură sângerezi ca la balamuc!

În seara aceea, când am putut vorbi în sfârşit fără să mă doară, mama şi tata au vrut să ştie în amănunt tot ce se petrecuse, începând cu ce anume vorbeam Jack şi cu mine chiar înainte să mă lovească.

— Jack era sssupărat pen'că a fossst pusss ssssă facă echipă la un proiect cu băiatul diform, am zis eu. I-am ssspusss că poa' sssă ssschimbe partenerul, dacă vrea. Şi atunci m-a pocnit!

Mama a clătinat din cap. Era de-ajuns pentru ea. N-am mai văzut-o niciodată atât de înnebunită de furie (şi am văzut-o pe mama ieşindu-şi din minţi de multe ori, credeţi-mă!).

— Iată ce se întâmplă, Jules! i-a spus tatei, încrucişând braţele şi dând iute din cap. Iată ce se întâmplă când pui nişte copilaşi să aibă de-a face cu nişte probleme pentru care nu sunt pregătiţi! Sunt pur şi simplu prea tineri ca să înfrunte astfel de situaţii. Tushman ăla este un idiot! Şi a mai zis o grămadă de chestii, dar alea sunt prea nepotrivite să le reproduc eu (dacă pricepeţi ce vreau să spun).

— Tată, eu nu vreau sssă-l esssmatriculeze pe Jack de la ssscoală, am zis eu mai târziu.

Tata tocmai îmi pusese gheaţă pe gură, pentru că trecuse efectul calmantului primit la spital.

— Nu depinde de noi, a răspuns tata. În locul tău, eu nu mi-aş face probleme. Indiferent ce se va întâmpla, Jack va primi ceea ce merită.

A început să-mi cam pară rău pentru Jack, de ce să mint. Adică, sigur, fusese mare nătărău că-mi trăsese pumnul ăla, dar chiar nu voiam să-l dea afară de la şcoală sau ceva.

Mama, în schimb, vă spun, acum avea din nou o misiune (cum ar zice tata). I se întâmplă uneori să se simtă atât de scandalizată de ceva, încât n-o mai opreşte nimic. Aşa a făcut şi acum câţiva ani, când pe un copil l-a lovit o maşină la două străzi de Şcoala Beecher, iar ea a convins vreun milion de oameni să semneze o petiţie ca să se pună acolo un semafor. A fost un mare moment cu supermama. La fel s-a întâmplat şi luna trecută, când restaurantul nostru preferat a schimbat meniul şi nu mai pregăteau felul meu preferat aşa cum îmi plăcea mie. Iar a apărut supermama şi, după ce a vorbit ea cu patronul, au acceptat să gătească felul acela la comandă specială – doar pentru mine! Numai că mama face uneori şi lucruri nu prea drăguţe, ca atunci când chelnerul ne-a greşit comanda.

Atunci aş zice că nu mai e chiar supermamă, pentru că-i cam aiurea când mama ta vorbeşte cu un chelner de parcă ăla ar avea cinci ani. *Jenant!* Şi, după cum tot tata zice, nu vrei niciodată să-i superi pe chelneri, nu? Că doar *ei* au în mâini mâncarea *ta* – ha!

Aşa că nu mi-a fost complet limpede ce să cred când mi-am dat seama că mama le declara război total domnului Tushman, lui Auggie Pullman şi întregii Şcoli Beecher. Urma să aibă loc un moment extraordinar cu super-mama, sau unul penibil şi cu riscuri? Adică avea să se termine cu Auggie Pullman mutat la altă şcoală – ura! – sau cu domnul Tushman suflându-şi nasul – câh! – în mâncarea mea de la cantină?

Petrecerea

A durat vreo două săptămâni până când fața mi s-a dezumflat complet. Din cauza asta nici n-am mai plecat la Paris în vacanța de iarnă. Mama nu voia ca rudele să mă vadă arătând ca după un meci de box. Din același motiv nici nu mi-a făcut vreo fotografie de sărbători, a zis că nu dorea să-și amintească de mine așa. Pentru felicitările anuale de Crăciun, a folosit una dintre pozele rămase de anul trecut.

Deși nu mai aveam la fel de multe coșmaruri, faptul că reîncepusem să le am o îngrijora teribil pe mama. Mi-am dat seama că povestea asta o stresa rău. Pe urmă, cu o zi înainte de petrecerea de Crăciun, a aflat de la o altă mamă că Auggie nu trecuse prin același fel de proces de admitere ca noi ceilalți. Vedeți, se presupune că toți copiii care se înscriu la Școala Beecher trec printr-un interviu și pe urmă dau un test la școală – dar pentru Auggie se făcuse nuș'ce excepție. Nu venise la școală pentru interviu și dăduse testul de admitere acasă. Mama a considerat treaba asta de-a dreptul incorectă!

— Acest copil n-ar fi trebuit acceptat în școala noastră, am auzit-o spunându-le la petrecere unui grup de mame. Școala Beecher nu este pregătită să se confrunte cu astfel de situații! Nu suntem o școală de integrare! Nu avem psihologii necesari care să se ocupe de felul în care sunt afectați ceilalți copii. Sărmanul Julian a avut coșmaruri o lună întreagă!

Hei, mamă! Urăsc să te aud povestindu-le altora despre coșmarurile mele!

— Henry a fost și el afectat, a zis mama lui Henry, iar celelalte mame au dat aprobator din cap.

— Nici măcar nu ne-au avertizat corespunzător dinainte! a continuat mama. Asta mă deranjează cel mai tare. Dacă nu sunt în stare să le asigure copiilor asistență psihologică, măcar să-i prevină din timp pe părinți!

— Categoric, a zis mama lui Miles, iar celelalte mame iar au dat din cap.

— Lui Jack Will i-ar fi prins bine cu certitudine puțină terapie, a continuat mama, dând ochii peste cap.

— M-a surprins că nu l-au exmatriculat, a zis mama lui Henry.

— O, au vrut s-o facă, a răspuns mama, dar am intervenit noi și i-am rugat să-l ierte. Cunoaștem familia lui Will încă de când erau copiii la grădiniță. Sunt oameni cumsecade. De fapt, nici pe Jack nu-l învinuim. Eu sunt de părere că a cedat sub presiunea faptului că a trebuit să aibă grijă de acel băiat. Așa se întâmplă când pui copii mici în astfel de situații. Sincer, nu știu ce-a fost în mintea lui Tushman!

— Iertați-mă, dar mă simt nevoită să intervin, a zis altă mamă. (Cred că era mama Charlottei, pentru că avea același păr blond strălucitor și aceiași ochi mari, albaștri). Nu este nimic în neregulă cu acel copil, Melissa. Este un copil grozav, care pur și simplu se întâmplă să *arate* diferit, dar...

— Vai, știu! a răspuns mama, punându-și palma pe inimă. Vai, Brigit, nu spune nimeni că n-ar fi un copil minunat, crede-mă! Sunt sigură că este. Și am auzit că părinții lui sunt și ei niște oameni adorabili. Nu asta-i problema. Pentru mine, până la urmă tot ceea ce contează în această chestiune este faptul că Tushman n-a respectat protocolul. A nesocotit flagrant procedura de admitere necerându-i băiatului să vină la Școala Beecher pentru interviu, nici ca să dea testul, cum au făcut toți copiii noștri. A încălcat regulile. Iar regulile sunt reguli. Asta-i tot, a zis mama și s-a uitat tristă la Brigit. Draga mea Brigit, îmi dau seama că mă dezaprobi cu desăvârșire.

— Nu, Melissa, câtuși de puțin, a spus mama Charlottei, clătinând din cap. Este o situație extrem de dificilă. La urma urmei, fiul tău a încasat un pumn în față. Ai tot dreptul să fii furioasă și să ceri niște răspunsuri.

— Mulțumesc, a zis mama și a încrucișat brațele la piept. Cred pur și simplu că toată povestea a fost administrată teribil de greșit, atâta tot. Și îl condamn pentru asta pe Tushman. Completamente.

— Categoric, a zis mama lui Henry.

— Trebuie să plece, a fost de acord mama lui Miles.

M-am uitat la mama, cum stătea înconjurată de celelalte mame care dădeau din cap aprobator, și m-am gândit *bun, poate că până la urmă o să se dovedească unul dintre acele momente în care supermama face minuni.* Poate că acțiunile ei aveau să se termine cu mutarea lui Auggie la altă școală, iar lucrurile de la Școala Beecher urmau să redevină ca înainte. Asta ar fi fost nemaipomenit!

Dar o parte din mine se gândea: *și dacă se transformă iarăși într-un alt moment jenant cu mama?* Adică, unele dintre lucrurile pe care le spunea sunau cumva... nu știu cum. Cam strident, să zic. Ca atunci când se înfuria pe vreun chelner. Întotdeauna sfârșești prin a-ți părea rău pentru chelner. Știam că se lansase în misiunea anti-Tushman din cauza mea. Dacă n-aș fi început să am din nou coșmaruri, dacă Jack nu m-ar fi pocnit, nimic din toate astea nu s-ar fi întâmplat. N-ar fi făcut mare caz de Auggie sau de domnul Tushman și și-ar fi folosit tot timpul și toată energia pentru fapte bune – să strângă bani pentru școală, de exemplu, sau să facă voluntariat la adăposturile pentru oamenii străzii. Mama face tot timpul astfel de fapte bune!

Așa că, nu știu... Pe de o parte, mă bucuram că încerca să mă ajute. Pe de altă parte, mi-ar fi părut mai bine dacă ar fi lăsat-o baltă.

Tabăra lui Julian

Chestia care m-a supărat cel mai tare când ne-am întors din vacanța de iarnă a fost că Jack se împrietenise iar cu Auggie. Se certaseră cumva după Halloween și de aceea Jack și cu mine redeveniserăm frați. Dar după vacanța de iarnă erau iar cei mai buni tovarăși.

Cât de penibil!

Le-am spus tuturor că trebuia să ne ferim de-acum înainte de Jack, pentru binele lui. Voiam să fie nevoit să aleagă o dată pentru totdeauna dacă vrea să facă parte din tabăra lui Auggie sau din tabăra lui Julian și a restului lumii. Am început să-l ignorăm complet: nu vorbeam cu el, nu-i răspundeam la întrebări. Era ca și cum n-ar fi existat.

Las' să vadă el!

Atunci am început să las bilețelele. Într-o zi, cineva a uitat niște post-ituri pe o bancă din curte, și așa mi-a venit ideea. Am scris, cu o caligrafie de psihopat:

„Nimănui nu-i mai place de tine!"

Am strecurat biletul în dulapul lui Jack prin găurile pentru aerisire, când nu se uita nimeni. L-am urmărit cu coada ochiului când l-a găsit. S-a întors și l-a văzut pe Henry deschizând dulapul de lângă al lui.

— Julian a scris asta? a întrebat el.

Dar Henry era de-al meu, înțelegeți? Nici nu l-a băgat în seamă pe Jack, ca și cum nici n-ar fi auzit că vorbește cineva cu el. Jack a mototolit biletul, l-a aruncat în dulap și a trântit ușa. După ce a plecat, m-am dus la Henry.

— Hop-șa! am zis, făcând cu mâna semnul diavolului, iar Henry a izbucnit în râs.

În următoarele două zile am lăsat în dulapul lui Jack mai multe bilete. Pe urmă am început să las și în dulapul lui Auggie.

Nu scria pe ele mare lucru – repet, nu mare lucru! Erau mai mult tâmpenii. Nu m-am gândit că le-ar putea lua cineva vreodată în serios. Vreau să zic, erau mai degrabă caraghioase.

Trebuiau să fie niște bancuri. Mă rog, unele dintre ele.

„Ești prost!"

„Monstrule!"

„Dispari din școala noastră, orcule!"

În afară de Henry și de Miles, nimeni nu știa că eu le scriam. Iar ei juraseră să păstreze secretul.

Biroul rectorului Jansen

Nu ştiu cum naiba a aflat domnul Tushman de ele. Nu cred că Jack sau Auggie fuseseră atât de tâmpiți să mă toarne, pentru că începuseră şi ei să lase bilete în dulapul meu. Adică, cât de prost să fii să torni pe cineva în legătură cu ceva ce faci şi tu?

Să vedeți ce s-a întâmplat. Cu câteva zile înainte de expediția în natură cu clasa, pe care o aşteptam total şi absolut, mama a primit un telefon de la dr. Jansen, rectorul întregii Şcoli Beecher. A spus că voia să discute ceva cu ea şi cu tata şi le-a dat o întâlnire.

Mama a presupus că avea legătură cu domnul Tushman, că poate urmau să-l concedieze. Aşa că murea de nerăbdare să vină întâlnirea aceea.

S-au dus la ora zece, cum stabiliseră, şi aşteptau în biroul domnului Jansen când pe nepusă masă m-au văzut şi pe mine intrând în acelaşi birou. Doamna Rubin mă scosese de la oră, îmi ceruse să merg cu ea şi mă dusese acolo. Eu habar n-aveam care-i treaba. Nu mai fusesem niciodată în biroul rectorului, iar când i-am văzut pe mama şi pe tata, am rămas la fel de nedumerit ca ei.

— Ce se petrece aici? a întrebat-o mama pe doamna Rubin.

Înainte ca doamna Rubin să apuce să spună ceva, în birou au intrat domnul Tushman şi dr. Jansen.

Toată lumea a dat mâna și s-a salutat zâmbind. Doamna Rubin a zis că ea trebuia să se întoarcă în clasă, dar că voia și ea să se vadă cu mama și cu tata mai târziu. Asta a surprins-o pe mama. Mi-am dat seama că începuse să-i treacă prin minte că poate toată treaba n-avea legătură cu concedierea domnului Tushman.

Pe urmă, dr. Jansen ne-a invitat să luăm loc pe o canapea din fața biroului lui. Domnul Tushman s-a așezat pe un scaun lângă noi, iar domnul Jansen, în spatele biroului.

— Melissa, Jules, vă mulțumesc foarte mult că ați venit, le-a spus dr. Jansen părinților mei.

A fost ciudat să-l aud spunându-le pe numele mic. Știam că se cunoșteau cu toții din Consiliul Școlar, dar tot suna aiurea.

— Știu cât sunteți de ocupați, a continuat dr. Jansen. Și sunt sigur că vă întrebați ce s-a întâmplat.

— Da... a zis mama, dar vocea i-a pierit.

Tata a tușit în pumn.

— Motivul pentru care v-am invitat astăzi, aici, se datorează unei probleme grave cu care ne confruntăm și pentru care am vrea să găsim cea mai bună cale de rezolvare. Julian, tu ai vreo bănuială despre ce-ar putea fi vorba?

S-a uitat la mine. Am făcut ochii mari.

— Eu? am zis, ridicând bărbia și făcând o față uimită. Nu.

Dr. Jansen mi-a zâmbit și a oftat în același timp. Și-a scos ochelarii.

— Înțelegi, a continuat el, uitându-se la mine, că la Școala Beecher luăm foarte în serios terorizarea altor colegi. Nu tolerăm nicio formă de agresiune. Considerăm că absolut toți elevii noștri merită să învețe într-un mediu sigur și într-o atmosferă plină respect...

— Scuzați-mă, îmi poate spune cineva ce se petrece aici? a intervenit abrupt mama, uitându-se nerăbdătoare la dr. Jansen. Cunoaștem pe de rost statutul și misiunea Școlii Beecher, Hal. Practic, noi le-am scris! Hai s-o scurtăm – despre ce-i vorba?

Dovada

Dr. Jansen s-a uitat la domnul Tushman.

— Explică-i tu, Larry, a zis el.

Domnul Tushman le-a întins mamei și tatei un plic. Mama l-a deschis și a scos ultimele trei bilete pe care le lăsasem în dulapul lui Auggie. Am știut imediat că acelea sunt, pentru că le scrisesem pe hârtie roz, nu galbenă, ca pe celelalte.

M-am gândit: *Aha! Deci Auggie i-a spus domnului Tushman despre bilete! Ce căcăcios!!*

Mama le-a citit repede, a ridicat din sprâncene și i le-a întins tatei. Tata le-a citit și el și s-a uitat la mine.

— Tu ai scris toate astea, Julian? a zis el, ținând biletele în fața mea.

Am înghițit în sec. L-am privit destul de pierdut.

— Păi... știi... am răspuns. Cam da. Dar, tată, și *ei* îmi scriu bilețele! Nu-s doar eu de vină!

— Dar tu ai început cu scrisul, nu-i așa? a întrebat domnul Tushman.

— Scuzați-mă, s-a amestecat furioasă mama. Să nu uităm că Jack Will l-a pocnit pe Julian în gură și nu invers. În mod clar a rămas un rest de conflict nerezolvat...

— Câte bilete din astea ai scris, Julian? a întrebat tata, bătând cu degetul în hârtiile din mâna mea.

— Nu știu, am zis.

Îmi smulgeam vorbele cu greu.

48

— Păi, vreo şase, cam aşa. Dar celelalte nu erau aşa...
cum să zic, rele. Astea sunt cele mai rele pe care le-am
scris. Celelalte nu erau la fel...

Am recitit ce scrisesem pe cele trei bilete şi vocea mi
s-a stins.

„Hei, Dart Hideous! Eşti aşa urât că ar trebui să porţi
mască în fiecare zi!"

Şi:

„Te urăsc, monstrule!"

Iar ultimul:

„Pun pariu că maică-ta ar vrea să nu te fi născut! Fă
un serviciu tuturor şi mori!"

Când mă uitam acum la ele, păreau mult mai grave
decât atunci când le scrisesem. Dar atunci eram furios,
superfurios. Tocmai primisem un bilet de la ei şi...

— Staţi aşa! am zis şi m-am căutat în buzunar.

Am găsit ultima bucată de hârtie pe care mi-o lăsa-
seră Auggie şi Jack în dulap, chiar ieri. Era destul de
mototolită, dar i-am întins-o domnului Tushman s-o ci-
tească.

— Uitaţi-vă, şi ei îmi scriu răutăţi!

Domnul Tushman a luat biletul, l-a citit repede şi l-a
întins apoi părinţilor mei. Mama l-a citit, apoi s-a uitat în
podea. Tata l-a citit şi el şi a clătinat din cap.

Mi l-a întins mie şi l-am recitit.

„Julian, eşti atât de sexy! Lui Summer nu-i place de
tine, dar eu aş vrea să-mi faci copii! Mirosi-mi-ai subsuo-
rile! Cu dragoste, Beulah"

— Cine naiba e Beulah? a întrebat tata?

— Nu contează, am răspuns. Nu pot să-ţi explic.

I-am dat biletul înapoi domnului Tushman, care i l-a
întins rectorului Jansen, să-l citească şi el. Am observat
că a încercat să-şi ascundă un zâmbet.

— Julian, a zis domnul Tushman, conținutul celor trei bilete pe care le-ai scris tu nu se compară deloc cu conținutul acestuia.

— Nu cred că-i treaba nimănui să judece semantica unui bilet, a zis mama. Nu contează dacă *tu* crezi că un bilet este mai rău decât altul, contează numai ce simte cel căruia îi este destinat. De fapt, Julian a făcut o mică pasiune anul ăsta pentru fetița aceea, Summer, și probabil că și-a simțit sentimentele rănite...

— Mamă! am strigat, și mi-am acoperit fața cu palmele. E atât de jenant!

— Vreau să spun doar că acel bilet poate răni un copil, indiferent dacă *tu* îți dai seama sau nu, i-a zis mama domnului Tushman.

— Glumești! a răspuns domnul Tushman, clătinând din cap.

Părea mai furios decât îl văzusem eu vreodată.

— Vrei să-mi spui că nu ți se par absolut oribile biletele scrise de fiul tău? Pentru că mie așa mi se par.

— Nu apăr acele bilete! a zis mama. Îți reamintesc doar că este vorba de agresiune în ambele direcții. Trebuie să înțelegi că Julian a scris în mod evident acele bilete ca reacție la ceva.

— Nu e nicio îndoială că există aici o întreagă poveste, a zis dr. Jansen, încrucișând brațele în față ca pe o pavăză.

— Biletele lor mi-au rănit sentimentele, am zis, fără să-mi pese că vorbeam de parcă eram gata să izbucnesc în plâns.

— Nu mă îndoiesc că biletele lor ți-au rănit sentimentele, Julian, a răspuns dr. Jansen. Iar tu, la rândul tău, ai încercat să-i rănești pe ei. Asta-i problema în astfel de cazuri – fiecare vrea să i-o plătească celuilalt și în felul ăsta lucrurile escaladează până scapă de sub control.

— Exact! a zis mama, aproape țipând.

— Există însă o limită, Julian, a continuat dr. Jansen, ridicând un deget. Există o limită. Iar tu ai depășit această limită, ceea ce este absolut inacceptabil. Dacă Auggie ar fi citit biletele din fața ta, cum crezi că s-ar fi simțit?

Mă privea cu o asemenea intensitate, încât am simțit că dispar sub canapea.

— Vreți să spuneți că nu le-a citit?

— Nu, a răspuns rectorul Jansen. Slavă cerului, cineva i-a spus ieri domnului Tushman despre tărășenia cu biletele, iar el a deschis dulapul lui Auggie și le-a interceptat înainte ca băiatul să apuce să le vadă.

Am lăsat capul în jos. Trebuie să recunosc, eram bucuros că Auggie nu le citise. Cred că înțelegeam ce voia să spună dr. Jansen prin depășit limita. Dar pe urmă m-am gândit: „Dacă nu m-a turnat Auggie, atunci cine a făcut-o?"

Timp de un minut sau două, nimeni n-a mai zis nimic. A fost peste măsură de jenant.

Verdictul

— Bun, a zis tata în cele din urmă, frecându-și obrajii cu palmele. Înțelegem, evident, gravitatea situației și am vrea... să o rezolvăm cumva.

Nu cred că l-am mai văzut niciodată pe tata arătând atât de stânjenit. Iartă-mă, tată!

— Avem câteva recomandări, a zis dr. Jansen. Evident, dorim să-i ajutăm pe toți cei implicați...

— Vă mulțumim pentru înțelegere, a zis mama, strângându-și geanta ca și cum se pregătea să se ridice.

— Dar *există* anumite consecințe! a zis domnul Tushman, uitându-se la ea.

— Poftim? i-a răspuns tăios mama.

— Așa cum am subliniat la început, a intervenit dr. Jansen, școala are reguli foarte stricte legate de agresiunea față de alți copii.

— Da, am văzut cât de stricte sunt atunci când *nu* l-ați exmatriculat pe Jack Will după ce l-a lovit pe Julian în gură, a reacționat rapid mama.

Ha! Încaseaz-o pe asta, domnule Tushman!

— Ei, haide! Atunci a fost o situație complet diferită, a încercat s-o contrazică domnul Tushman.

— Poftim? a întrebat mama. Să pocnești pe cineva în gură *nu* reprezintă o agresiune, după părerea ta?

— Gata, gata, a zis tata, ridicând mâna ca să-l împiedice pe domnul Tushman să mai spună ceva. Haideți să revenim la subiect, bine? Care sunt recomandările tale, Hal?

Rectorul Jansen s-a uitat la el.

— Suspendarea lui Julian pentru două săptămâni, a zis el.

— Cum? a strigat mama, uitându-se la tata.

Dar tata nu i-a răspuns privirii.

— În plus, a adăugat dr. Jansen, recomandăm consiliere psihologică. Sora Molly vă poate recomanda câțiva terapeuți cu care lui Julian i-ar prinde bine să stea de vorbă...

— Asta-i o jignire! l-a întrerupt mama, spumegând.

— Stați puțin, am zis eu. Asta înseamnă că nu pot veni la școală?

— Nu, vreme de două săptămâni, a răspuns domnul Tushman. Începând din acest moment.

— Și cum rămâne cu expediția în natură? am întrebat.

— Nu ai voie să participi la ea, a zis domnul Tushman cu răceală.

— Nu se poate! am zis, iar de data asta chiar eram gata să izbucnesc în plâns. Eu vreau să merg în expediția în natură!

— Regret, Julian, a zis cu blândețe dr. Jansen.

— Povestea asta a devenit absolut ridicolă, a zis mama, uitându-se la rectorul Jansen. Nu credeți că exagerați? Copilul acela nici măcar n-a citit biletele!

— Asta nu e esențial, a răspuns domnul Tushman.

— Să vă spun ce cred eu! a zis mama. Toate aceste lucruri se întâmplă înainte de orice din cauză că *voi* ați admis în Școala Beecher un elev care nu avea ce căuta aici. Și ați făcut-o încălcând regulamentul. Iar acum vă răzbunați pe copilul meu pentru că am avut curajul să vă atrag atenția că ați greșit!

— Melissa, a zis dr. Jansen, încercând s-o liniștească.

— Copiii ăștia sunt prea mici ca să fie nevoiți să aibă de-a face cu... diformități faciale și oameni desfigurați, a continuat mama, vorbind cu dr. Jansen. Trebuie să înțelegeți asta! Julian a avut coșmaruri din cauza acelui băiat. Nu știați, nu? Julian suferă de tulburări de anxietate.

— Mamă! am zis, scrâșnind din dinți.

— Ar fi trebuit să întrebați Consiliul Școlar dacă consideră că Școala Beecher este locul potrivit pentru acest copil, a continuat mama. Atât vreau să vă spun! Nu suntem pregătiți pentru un astfel de caz. Există alte școli în măsură să-l primească, dar noi nu!

— Ești liberă să crezi ce dorești, a răspuns domnul Tushman, fără s-o privească.

Mama a dat ochii peste cap.

— Toată povestea asta nu-i decât o vânătoare de vrăjitoare, a murmurat ea, uitându-se pe fereastră.

Clocotea de nervi.

Nu înțelegeam despre ce vorbea. Vrăjitoare? Care vrăjitoare?

— Bine, Hal, ai spus că ai niște recomandări, a zis tata, adresându-se rectorului Jansen.

Părea țâfnos.

— Astea sunt? Suspendare două săptămâni și consiliere?

— Am vrea, de asemenea, ca Julian să-i ceară scuze în scris lui Auggie Pullman, a zis domnul Tushman.

— Pentru ce anume să-și ceară scuze? a ripostat mama. A scris câteva bilețele prostești. În mod cert nu-i singurul copil din lume care a scris vreodată un bilet tâmpit.

— E mai mult decât un bilet tâmpit! i-a răspuns domnul Tushman. Este dovada unui tipar comportamental.

A început să numere pe degete.

— Se strâmbă pe la spatele lui Auggie. A iniţiat un joc conform căruia cine îl atinge pe Auggie trebuie să se spele pe mâini...

Nu-mi venea să cred că domnul Tushman ştia despre Ciumă! De unde află profesorii atâtea lucruri?

— Încearcă să-l izoleze social, a continuat domnul Tushman. Creează o atmosferă ostilă.

— Ştii tu sigur că Julian a iniţiat toate aceste lucruri? a întrebat tata. Izolare socială? Atmosfera ostilă? Susţii că Julian este *singurul* copil care nu s-a purtat frumos cu băiatul despre care vorbim? Sau intenţionezi să-i suspenzi pe toţi elevii care scot limba la el? Bravo, tată! Unu-zero pentru Albans!

— Nu te deranjează chiar deloc că Julian nu pare să manifeste nici cea mai mică remuşcare? a zis domnul Tushman, privindu-l chiorâş pe tata.

— Ar fi bine să ne oprim chiar acum, a zis tata încet, ridicând degetul arătător către faţa domnului Tushman.

— Vă rog, haideţi să ne calmăm cu toţii, a zis dr. Jansen. Este un moment dificil pentru toată lumea.

— După tot ce am făcut pentru şcoala asta, a zis mama, clătinând din cap. După toţi banii şi după tot timpul investit aici, mă gândeam că merit măcar puţină consideraţie.

A lipit degetul mare de arătător şi a insistat:

— Doar un pic.

Tata a încuviinţat. Încă se mai uita furios la domnul Tushman, dar apoi şi-a mutat privirea spre rectorul Jansen.

— Melissa are dreptate, a zis el. Şi eu cred că meritam mai mult de-atât, Hal. Un avertisment prietenesc ar fi fost mai potrivit. În loc de asta, ne-ai chemat aici ca pe nişte copii...

S-a ridicat în picioare.

— Meritam mai mult.

— Îmi pare rău că vă considerați nedreptățiți, a zis dr. Jansen, ridicându-se și el.

— Voi informa Consiliul Școlar despre toate aceste lucruri, a zis mama, în picioare și ea.

— Nu mă îndoiesc, a răspuns dr. Jansen, încrucișând brațele la piept și încuviințând din cap.

Domnul Tushman era singurul care mai stătea așezat pe scaun.

— Scopul suspendării nu este unul punitiv, a spus el liniștit. Încercăm să-l ajutăm și pe Julian. Nu poate înțelege pe deplin toate consecințele acțiunilor lui dacă voi continuați să-i găsiți justificări. Noi dorim să simtă o anumită empatie...

— Știi, am auzit destul! a zis mama, ridicând palma în fața domnului Tushman. N-am nevoie de sfaturi cum să-mi cresc copilul. Nu de la cineva care nici măcar nu are copii. Habar nu ai ce înseamnă să-ți vezi băiatul având atacuri de panică de fiecare dată când închide ochii ca să doarmă, da? Nu știi cum este.

Vocea i s-a frânt puțin, ca și cum îi venea să plângă. S-a uitat la dr. Jansen și a continuat:

— Pe Julian l-a afectat profund, Hal. Îmi pare rău, poate că nu este corect să vorbesc astfel, dar acesta este adevărul, iar eu încerc pur și simplu să fac ce cred că-i mai bine pentru copilul meu! Atât. Înțelegi?

— Da, Melissa, a răspuns blând dr. Jansen.

Mama a dat din cap. Îi tremura bărbia.

— Am terminat aici? Putem pleca?

— Sigur, a răspuns rectorul.

— Vino, Julian, a zis mama și a ieșit din birou.

M-am ridicat în picioare. Recunosc că nu-mi dădeam seama precis ce anume se petrecea.

— Stați puțin, asta-i tot? am întrebat-o. Și lucrurile mele? Toate lucrurile mele sunt în dulap.

— O să-ți strângă doamna Rubin lucrurile și o să ți le trimită în cursul săptămânii, a zis dr. Jansen, apoi s-a uitat la tata. Îmi pare rău că s-a ajuns la asta, Jules. I-a întins mâna. Tata s-a uitat la mâna lui, dar nu i-a strâns-o. Apoi s-a uitat la dr. Jansen.

— Vreau să te rog un singur lucru, Hal, a zis el încet. Aș vrea ca toată treaba asta să rămână confidențială. Ne-am înțeles? Să nu iasă din acest birou. Nu vreau să-l transformați pe Julian într-un exemplu de luptă împotriva agresorilor din școli. Nu vreau să știe nimeni că a fost suspendat. Vom inventa un motiv pentru care lipsește și așa va rămâne. Ne-am înțeles, Hal? Nu vreau să devină un caz-model, pentru că n-am de gând să stau cu mâinile în sân și să mă uit cum școala asta mânjește cu noroi reputația familiei mele.

Apropo, în caz că nu v-am spus până acum: tata e avocat.

Rectorul Jansen și domnul Tushman au schimbat o privire.

— Nu intenționăm să transformăm în exemplu pe niciunul dintre elevii noștri, a răspuns dr. Jansen. Suspendarea lui Julian nu este decât răspunsul care se cuvine în fața unui comportament nepotrivit.

— Nu mai spune! a zis tata, uitându-se la ceas. Mie mi se pare o reacție absolut disproporționată.

Dr. Jansen s-a uitat la tata, apoi la mine.

— Julian, a zis el, privindu-mă drept în ochi. Pot să-ți pun o întrebare directă?

Am tras cu ochiul la tata, care a făcut semn din cap că da. Am ridicat din umeri.

— Simți vreo remușcare cât de mică pentru ce-ai făcut? m-a întrebat dr. Jansen.

M-am gândit o secundă. Îmi dădeam seama că toți mă urmăreau și așteptau să dau cine știe ce răspuns magic, care să îndrepte toată situația.

— Da, am zis încet. Îmi pare cu adevărat rău că am scris ultimele bilete.

Dr. Jansen a încuviințat din cap.

— Îți mai pare rău și pentru altceva?

M-am uitat iar la tata. Nu sunt tâmpit. Știam ce murea să audă rectorul de la mine, numai că eu n-aveam de gând să-i spun. Așa că am lăsat ochii în jos și am ridicat din umeri.

— Atunci, să te întreb altfel, a zis dr. Jansen. Te vei gândi să-i scrii lui Auggie o scrisoare în care să-ți ceri scuze?

Iar am ridicat din umeri.

— Câte cuvinte trebuie să aibă scrisoarea aia?

Doar atât mi-a venit în minte să spun. Mi-am dat seama chiar când mi-au ieșit cuvintele din gură că n-ar fi trebuit să le rostesc. Dr. Jansen s-a uitat la tata, care s-a uitat și el în jos.

— Julian, a zis tata, du-te după mama. Așteptați-mă la intrare. Vin într-o clipă.

Imediat ce am închis ușa în urma mea, tata a început să șușotească ceva cu dr. Jansen și cu domnul Tushman. Erau șoapte furioase.

Când am ajuns în holul de la intrare, am găsit-o pe mama stând pe un scaun, cu ochelarii de soare la ochi. M-am așezat lângă ea. M-a frecat ușor pe spate, dar n-a zis nimic. Cred că plângea.

M-am uitat la ceas: 10.20 dimineața. Chiar în clipa asta probabil că doamna Rubin comenta rezultatele testului pe care îl dădusem ieri la științe. Am aruncat o privire în jur și mi-a venit în minte o imagine – ziua dinainte să

înceapă şcoala, când eu, Jack Will şi Charlotte ne întâlniserăm chiar acolo înainte să-l vedem prima oară pe cel
pentru care alcătuiam un comitet de primire. Mi-am adus
aminte cât de neliniştit fusese Jack în ziua aceea şi cum
eu nici măcar nu ştiam cine era Auggie.

Tare multe se mai întâmplaseră între timp.

Afară din școală

Tata n-a spus nimic atunci când ni s-a alăturat în hol. Pur și simplu am ieșit toți trei pe ușă fără să-i spunem la revedere nici măcar paznicului de la biroul recepției. Era ciudat rău să plec de la școală în timp ce toată lumea rămânea înăuntru. M-am întrebat ce aveau să creadă Miles și Henry când vor vedea că nu mă mai întorc în clasă. Și mă scotea din sărite că ratam ora de educație fizică de după-amiază.

Părinții mei au rămas tăcuți tot drumul până acasă. Locuim în Upper West Side, care e la jumătate de oră de mers cu mașina de Școala Beecher, dar mi s-a părut că a durat o eternitate.

— Nu pot să cred că am fost eliminat, am zis în timp ce intram cu mașina în garajul blocului nostru.

— Nu-i vina ta, scumpule, a zis mama. Pe noi au vrut să ne pedepsească.

— Melissa! a strigat tata, ceea ce pe mama a cam surprins-o. Evident că-i vina lui. Toată situația asta s-a născut din vina lui! Julian, ce naiba a fost în mintea ta de-ai scris biletele alea?

— A fost provocat să le scrie! a răspuns mama.

În garaj, am oprit. Supraveghetorul aștepta să coborâm din mașină ca s-o parcheze, dar noi am mai rămas acolo.

Tata s-a întors și s-a uitat la mine.

— Nu spun că şcoala a acţionat corect, a zis el. Două săptămâni de eliminare înseamnă o pedeapsă disproporţionată. Dar, Julian, ar fi trebuit să-ţi dai seama!

— Ştiu, am zis. A fost o greşeală, tată!

— Toţi greşim, a zis mama.

Tata s-a întors spre ea.

— Jansen are dreptate, Melissa. Dacă încerci în continuare să-i justifici faptele...

— Nu fac asta, Jules.

Tata nu i-a răspuns imediat, apoi a spus:

— L-am anunţat pe Jansen că la anul îl retragem pe Julian de la Şcoala Beecher.

Mama a rămas de-a dreptul fără cuvinte. A durat o secundă până când am priceput şi eu vorbele tatei.

— Ce ai făcut? am zis.

— Jules, a zis mama încet.

— I-am spus lui Jansen că anul ăsta îl terminăm la Şcoala Beecher, a continuat calm tata, dar că de anul viitor Julian va merge la altă şcoală.

— Nu pot să cred! am strigat. Îmi place la Şcoala Beecher, tată! Am prieteni! Mamă!

— Nu te voi mai trimite la această şcoală, Julian, a zis tata ferm. N-am de gând să mai cheltuiesc niciun sfanţ pe ea. Sunt o mulţime de alte şcoli private excelente în New York.

— Mamă! am zis.

Mama şi-a trecut mâna peste faţă. A clătinat din cap.

— Nu crezi că mai întâi ar fi trebuit să discutăm despre asta? l-a întrebat ea pe tata.

— Nu eşti de acord? a ripostat el.

Ea şi-a masat fruntea cu degetele.

— Ba da, sunt de acord, a zis încet, încuviinţând din cap.

— Mamă! am țipat eu.

Mama s-a întors în scaun.

— Scumpul meu, sunt de părere că tata are dreptate.

— Nu pot să cred! am urlat eu și am dat un pumn în bancheta mașinii.

— Acum ne-au atacat pe noi, a continuat ea. Pentru că ne-am plâns în legătură cu băiatul acela...

— Asta a fost numai vina ta! am zis printre dinții încleștați. Eu nu ți-am spus să te apuci să încerci să-l dai afară pe Auggie din școală. Și nici n-am vrut să fie concediat domnul Tushman. Tu te-ai băgat în asta!

— Acum îmi pare rău, iubitule, a zis ea supusă.

— Julian, a zis tata. Mama ta a procedat astfel încercând să te protejeze pe tine. Dar nu-i vina ei că ai scris acele bilete, așa-i?

— Nu, dar dacă n-ar fi făcut atâta tărăboi pentru orice... am început eu.

— Julian, tu auzi ce spui? a zis tata. Acum dai vina pe mama ta. Mai devreme ai dat vina pe ceilalți băieți pentru biletele pe care le-ai scris. Încep să mă întreb dacă nu are dreptate conducerea școlii! Îți pare rău măcar puțin pentru ce ai făcut?

— Sigur că-i pare! a zis mama.

— Melissa, lasă-l pe el să răspundă! s-a răstit tata.

— Nu, e bine? am urlat. Nu-mi pare rău! Știu că toată lumea ar vrea să mă audă spunând: *Îmi pare rău că m-am purtat urât cu Auggie, îmi pare rău că l-am vorbit pe la spate, îmi pare rău că l-am jignit.* Dar nu-mi pare. Dă-mă în judecată!

Înainte ca tata să apuce să răspundă, supraveghetorul garajului a bătut în parbriz. În parcare intrase altă mașină și trebuia să-i facem loc.

Primăvara

N-am spus nimănui despre suspendare. Henry mi-a trimis un mesaj pe telefon peste câteva zile și m-a întrebat de ce nu vin la școală. I-am spus că am o infecție în gât. Asta le-am spus tuturor. Dacă vreți să știți, o suspendare de două săptămâni nici măcar nu-i atât de rea. Mi-am petrecut aproape tot timpul în casă, uitându-mă la reluări cu *SpongeBob* și jucând *Knights of the Old Republic*[1]. Se presupunea că trebuie să mă țin în continuare de teme, așa că n-a fost ca și cum doar aș fi lenevit. Doamna Rubin a trecut pe la noi într-o după-amiază cu toate lucrurile din dulapul meu: manualele, caietul mecanic și lista cu toate lecțiile pe care trebuia să le recuperez. Erau o grămadă!

Cu științele sociale și cu engleza a mers foarte bine, dar temele la matematică mi-au dat atâta bătaie de cap, încât mama mi-a angajat un meditator.

În ciuda timpului liber de care mă bucuram, muream de nerăbdare să mă întorc la școală. Sau cel puțin așa credeam. În noaptea dinaintea zilei când urma să mă duc la ore, am avut din nou un coșmar. Numai că de data asta nu eram eu cel care arăta ca Auggie – era altcineva!

Ar fi trebuit să iau asta ca pe o premoniție. Când m-am întors la școală, imediat după ce am ajuns, mi-am dat seama

---

[1] Joc video inspirat din filmul *Războiul stelelor.*

că se petrecuse ceva. Ceva era altfel. Am remarcat mai întâi că nimeni nu părea cu adevărat încântat să mă vadă din nou. Adică, lumea mă saluta şi mă întreba cum mă simt, dar nimeni nu părea să zică: „Frate, mi-a fost dor de tine!" Mă aşteptasem ca măcar Miles şi Henry să reacţioneze astfel, dar n-au făcut-o. De fapt, la prânz nici măcar nu s-au aşezat la masa noastră obişnuită. Au stat cu Amos. Aşa că am fost nevoit să-mi iau tava şi să-mi găsesc un locşor la masa lui Amos, ceea ce mi s-a părut cam umilitor. Pe urmă i-am auzit pe toţi trei vorbind să rămână în curtea şcolii după ore ca să arunce la coş, dar nu m-au invitat şi pe mine.

Dar mai ciudat decât orice era că toată lumea se purta foarte frumos cu Auggie. Caraghios de frumos, de-a dreptul. Parcă aş fi păşit printr-o poartă în altă dimensiune, într-un univers paralel în care Auggie şi cu mine schimbaserăm rolurile. Dintr-odată devenise el cel popular, iar eu eram nedoritul.

Imediat după ultima oră l-am tras pe Henry deoparte, să vorbim.

— Hei, frate, de ce se poartă toţi aşa ca lumea cu monstrul, din senin? l-am întrebat.

— Păi... a zis Henry, uitându-se în jur destul de încordat. Să ştii că lumea nu-i prea mai spune aşa.

Pe urmă mi-a povestit păţania din timpul expediţiei în natură. Una peste alta, se întâmplase că pe Auggie şi Jack îi prinseseră nişte bătăuşi dintr-a şaptea de la altă şcoală. Henry, Miles şi Amos îi salvaseră şi se bătuseră cu huliganii – adică se caftiseră de-adevăratelea cu pumnii – şi pe urmă scăpaseră fugind printr-un lan de porumb. Suna nemaipomenit de interesant, iar în timp ce-mi povestea, m-am înfuriat din nou pe domnul Tushman că din cauza lui ratasem toată treaba.

— Mamă, frate! am zis eu înfierbântat. Ce mi-ar fi plăcut să fiu acolo! I-aş fi făcut terci de-a dreptul pe ticăloşi.

— Stai aşa, pe care ticăloşi?

— Pe ăia dintr-a şaptea!

— Pe bune?

Părea nedumerit, dar Henry mereu pare puţin nedumerit.

— Nu ştiu ce să zic, Julian. Cred că, dacă ai fi fost tu acolo, mai degrabă nu ne-am fi băgat deloc să-i salvăm. Pentru că tu probabil că ai fi preferat să le faci galerie băieţilor ălora dintr-a şaptea!

M-am uitat la el de parcă era tâmpit.

— Ba nu, am zis.

— Serios? a zis el, aruncându-mi o privire plină de înţeles.

— Nu! am insistat eu.

— Bine, a răspuns el, ridicând din umeri.

— Hei, Henry, vii? l-a strigat Amos din capătul holului.

— Tre' să plec, mi-a zis.

— Mâine după şcoală punem de-o treabă împreună?

— Nu-s sigur, a răspuns el, luând-o din loc. Dă-mi un mesaj diseară şi vedem.

L-am urmărit îndepărtându-se şi am simţit cum îmi creştea un ghem imens în stomac. Oare mă credea chiar *atât* de nenorocit încât să ţin cu unii oarecare dintr-a şaptea în timp ce ăia îl băteau pe Auggie? Oare asta credeau ceilalţi despre mine? Că eram aşa un nemernic?

Fiţi atenţi, sunt primul care recunoaşte că nu-mi place Auggie Pullman, dar n-aş vrea niciodată să-l văd bătut sau mai ştiu eu ce! Adică, ce naiba! Nu sunt dus cu capul! Mă scotea din sărite rău de tot că asta credea lumea despre mine.

Mai târziu, i-am trimis un mesaj lui Henry: „Frate, ca să ştii, *în niciun caz* n-aş fi stat cu mâna-n sân şi nu i-aş fi lăsat pe nemernici să-i bată pe Auggie şi pe Jack!"
Nu mi-a răspuns.

Domnul Tushman

Ultima lună de școală a fost oribilă. Nu că toată lumea ar fi fost rea cu mine pe față, dar m-am simțit lăsat pe dinafară de Amos, de Henry și de Miles. Nu mă mai simțeam popular. Nimeni nu mai râdea la bancurile mele aproape niciodată. Nimeni nu voia să-și petreacă vremea cu mine. Părea că nici dacă aș fi dispărut din școală nu mi-ar fi simțit cineva lipsa. Între timp, Auggie trecea pe holuri ca un tip de gașcă și bătea palma cu toți vlăjganii din clasele mai mari.

În fine.

Într-o zi, domnul Tushman m-a chemat la el în birou.

— Ce mai faci, Julian? m-a întrebat el.

— Bine.

— Ai scris scrisoarea aceea de scuze pe care ți-am cerut-o?

— Tata a zis că plec de la școala asta, așa că nu mai trebuie să scriu nimic, am zis eu.

— Aha, a zis domnul Tushman, dând din cap. Speram c-o să vrei tu însuți s-o scrii.

— De ce? Oricum toată lumea mă consideră un mare ticălos. Ce ar rezolva faptul că scriu o scrisoare?

— Julian...

— Uitați, știu că toată lumea mă crede un nesimțit care nu-i în stare să aibă „remușcări"! am zis eu, desenând ghilimele în aer pentru ultimul cuvânt.

— Julian, a zis domnul Tushman, nimeni nu...

Am simțit dintr-odată că-mi vine să plâng, așa că l-am întrerupt.

— Întârzii la oră și nu vreau să am probleme. Pot să plec, vă rog?

Domnul Tushman părea trist. A dat din cap că da. Am ieșit din biroul lui fără să mă uit înapoi.

Peste câteva zile am primit o înștiințare oficială din partea școlii prin care eram anunțați că mi se retrăgea invitația de a mă înscrie la Beecher pentru clasa care începea la toamnă.

Nu mi s-a părut cine știe ce, din moment ce tata oricum îi anunțase că nu mai merg acolo. Dar nu primiserăm niciun răspuns de la celelalte școli la care aveam cereri depuse, iar dacă nu mă acceptau, exista și varianta să mă întorc la Școala Beecher. Din momentul acela însă era imposibil.

Mama și tata s-au înfuriat rău. Au *innebunit* de furie, ce să mai vorbim! Mai ales din cauză că tata plătise în avans taxa pentru anul următor, iar școala nu intenționa să-i returneze banii. Vedeți, asta-i treaba cu școlile particulare: te pot da afară pentru orice motiv le trece prin cap.

Din fericire, am aflat peste câteva zile că fusesem acceptat la o școală din apropierea casei noastre, una care reprezentase prima mea opțiune. Trebuia să port uniformă, dar nu mă deranja. Mai bine decât să fiu nevoit să merg zilnic la Școala Beecher!

Nu-i nevoie să mai spun că la sfârșitul anului nu ne-am dus la ceremonia de absolvire.

După

— Sunt doar lacrimi de om, a zis Bagheera.
Acum știu că ești om, nu doar pui de om.
Pentru ei, jungla este zăvorâtă de-acum înainte.
Lasă-le să curgă, Mowgli. Sunt doar lacrimi.

(Rudyard Kipling, *Cartea junglei*)

* * *

O, vântul, vântul suflă tare,
printre morminte vântul suflă tare;
libertatea va veni curând,
iar atunci vom ieși dintre umbre.

(Leonard Cohen, *Partizanul*)

Vacanța de vară

Î n iunie, părinții mei și cu mine am plecat la Paris. Planul inițial fusese să ne întoarcem în iulie la New York cu toții, pentru că eu urma să plec într-o tabără de rock-and-roll împreună cu Henry și cu Miles. Dar, după tot ce se întâmplase, nu mai voiam să mă duc. Așa că părinții au hotărât să mă lase să stau la bunica tot restul verii.

De obicei nu suportam să stau cu *grandmère*, dar de data asta îmi convenea. Știam că după plecarea părinților mei puteam petrece toată ziua în pijama jucând Halo[1], fără ca bunicii să-i pese câtuși de puțin. Puteam face acolo aproape orice doream.

Grandmère nu era exact genul „buni". Nu făcea prăjituri. Nu tricota pulovere. Era, după cum spunea mereu tata, un „personaj". Chiar dacă trecuse de optzeci de ani, se îmbrăca la fel ca un fotomodel. Superseducător. Se machia din belșug și se parfuma. Purta tocuri înalte. Nu se trezea niciodată înainte de două după-amiaza și îi mai trebuiau încă două ore ca să se îmbrace. Când era gata, mă lua cu ea la cumpărături, la vreun muzeu sau la câte un restaurant elegant. N-avea chef de activități pentru copii, dacă înțelegeți ce vreau să spun. De exemplu, nu mergea niciodată la film cu mine în funcție de recomandările de audiență, așa că am sfârșit prin a vedea o

---

[1] Serie de jocuri video.

mulțime de filme complet nepotrivite pentru vârsta mea. Dacă ar fi aflat la ce filme mă ducea *grandmère*, mama ar fi explodat de nervi, știam sigur. Dar *grandmère* era franțuzoaică și spunea întotdeauna că părinții mei erau prea „americani".

De asemenea, *grandmère* nu-mi vorbea ca unui copil. Nu-mi vorbise așa nici măcar când eram mai mic. Nu folosise niciodată cuvinte pentru bebeluși și nu mi se adresase în felul în care o fac adulții cu cei mici. Numea orice lucru pe șleau. Dacă spuneam, să zicem, „*Je veux faire pipi*", adică „vreau să fac pipi", ea zicea: „Îți vine să urinezi? Du-te la baie."

În plus, înjura tot timpul. Frate, și se pricepea să înjure! Iar dacă nu înțelegeam vreun cuvânt din câte o înjurătură, nu trebuia decât să o întreb și mi-l explica în amănunt. Mi-e și rușine să vă spun câteva dintre cuvintele aflate de la ea.

Așadar, am fost bucuros să-mi petrec toată vara departe de New York. Speram să mi-i pot scoate din minte pe ceilalți copii. Pe Auggie. Pe Jack. Pe Summer. Pe Henry. Pe Miles. Pe toți. Dacă nu i-aș mai fi văzut niciodată pe niciunul dintre ei, aș fi fost cel mai fericit copil din Paris, pe bune!

Domnul Browne

Singurul lucru de care îmi cam părea rău era că nu ajunsesem să-mi iau la revedere de la niciunul dintre profesorii mei de la Școala Beecher. Chiar țineam la unii dintre ei. Domnul Browne, proful de engleză, fusese profesorul meu preferat din toate timpurile. Și se purtase întotdeauna foarte frumos cu mine. Îmi plăcea să scriu, iar el mă lăuda. Nu apucasem să-i spun că n-aveam să mă întorc la Beecher.

La începutul anului, domnul Browne ne spusese tuturor că voia să-i trimitem peste vară unul dintre principiile noastre. Așa că într-o după-amiază, în timp ce *grandmère* dormea, am început să mă gândesc la un principiu pe care să i-l trimit de la Paris. M-am dus la un magazin de suveniruri din colțul străzii și am cumpărat o vedere cu un gargui, un ornament din acela ca un animal fantastic de pe acoperișul catedralei Notre-Dame. Primul lucru care mi-a trecut prin minte când l-am văzut a fost că îmi amintea de Auggie. Pe urmă mi-am zis: *Of! De ce mă gândesc în continuare la el? De ce îi văd fața peste tot pe unde mă duc? Abia aștept s-o iau de la capăt în altă parte.*

Și atunci mi-a dat prin minte că ăsta era principiul meu. L-am scris imediat.

Uneori este bine s-o iei de la capăt în altă parte.

Gata. Perfect! Îmi plăcea. Am luat adresa domnului Browne de pe site-ul Școlii Beecher și am pus vederea la poștă în aceeași zi.

Însă după ce am trimis-o mi-am dat seama că el nu avea cum să înțeleagă ce voiam să spun. Nu cu adevărat. Nu știa toată povestea și de ce eram eu atât de bucuros că plec de la Școala Beecher și o iau de la capăt în altă parte. Așa că m-am hotărât să-i scriu un e-mail și să-i explic tot ce se întâmplase în ultimul an. Adică, nu chiar *tot*. Tata mă avertizase răspicat să nu vorbesc cu nimeni de la școală despre răutățile pe care i le făcusem lui Auggie – din motive juridice. Dar voiam ca domnul Browne să știe destul cât să-mi poată înțelege principiul. Voiam să mai știe și că îl consideram un profesor grozav. Mama le spusese tuturor că n-aveam să mă mai duc la Școala Beecher din cauză că eram nemulțumiți de materiile de studiu și de profesori. Mi-a cam părut rău de asta pentru că nu voiam ca domnul Browne să creadă vreodată că eram nemulțumit de el.

Așa că, până la urmă, m-am hotărât să-i trimit un e-mail.

Către: tbrowne@beecherschool.edu
De la: julianalbans@ezmail.com
Subiect: Principiul meu

Bună ziua, domnule Browne! Tocmai v-am trimis prin poștă principiul meu: „Uneori este bine s-o iei de la capăt în altă parte." E pe o vedere cu un gargui. Am scris acest principiu pentru că din septembrie mă duc la o școală nouă. Până la urmă am ajuns să urăsc Școala Beecher. Nu mi-au plăcut elevii. Dar MI-AU PLĂCUT profesorii. Orele dumneavoastră mi s-au părut grozave. Așa că nu luați personal faptul că nu mă mai întorc.

Nu știu dacă știți povestea pe larg, dar în principal motivul pentru care nu mă mai întorc la Școala Beecher este... nu vreau să dau nume, dar este un elev cu care chiar nu

mă împac deloc. De fapt, sunt doi elevi. (Probabil că pu-
teţi ghici cine sunt din cauză că unul dintre ei mi-a tras un
pumn în gură.) Aceşti copii nu fac parte dintre oamenii
mei preferaţi de pe lumea asta. Am început să ne scriem
unii altora bilete răutăcioase. Repet: unii-altora. A fost o
poveste în ambele sensuri! Dar numai eu am avut neca-
zuri! Numai eu! A fost atât de nedrept! Adevărul este că
domnul Tushman s-a răzbunat pe mine pentru că mama
a încercat să facă să fie dat el afară. Oricum, pe scurt: am
fost eliminat două săptămâni pentru că am scris acele bi-
lete! (Dar nimeni nu ştie asta. Este secret, aşa că vă rog să
nu mai spuneţi nimănui.) Şcoala a zis că nu tolerează nicio
formă de agresiune între elevi. Eu nu cred că ce am făcut
eu a fost agresiune! Părinţii mei s-au înfuriat nemaipome-
nit pe şcoală! Au hotărât ca anul viitor să mă înscrie la alta.
Aşa că asta este povestea.

Îmi doresc foarte tare ca acel „elev" să nu fi venit nicio-
dată la Şcoala Beecher! Anul şcolar ar fi fost pentru mine
cu mult mai bun! Nu suportam să fiu în aceeaşi clasă cu el.
Am avut coşmaruri din cauza lui. Dacă nu era el acolo, eu
aş fi mers în continuare la Şcoala Beecher. Mare porcărie!
Dar orele dumneavoastră chiar mi-au plăcut mult. Sun-
teţi un profesor grozav. Am vrut să ştiţi.

M-am gândit că era bine că n-am pomenit „nume". Îmi
imaginam că oricum domnul Browne o să-şi dea seama
despre cine vorbeam. Nu mă aşteptam să-mi răspundă,
dar a doua zi, când mi-am verificat e-mailul, am găsit un
mesaj de la el. Am fost peste măsură de încântat!

Către: julianalbans@ezmail.com
De la: tbrowne@beecherschool.edu
Subiect: re: Principiul meu

Bună, Julian. Îți mulțumesc foarte mult pentru mesaj! Abia aștept să primesc vederea cu gargui. Mi-a părut rău să aflu că nu te mai întorci la Școala Beecher. Te-am considerat întotdeauna un elev bun și un scriitor talentat. Apropo de asta: îmi place principiul tău. Sunt de acord, uneori este bine s-o luăm de la capăt în altă parte. Un nou început ne dă șansa să reflectăm la trecut, să cântărim lucrurile pe care le-am făcut și să folosim învățăturile trase pentru viitor. Dacă nu analizăm trecutul, nu învățăm din el.

În ce privește „copiii" care nu ți-au plăcut, cred că știu la cine te referi. Îmi pare rău să aflu că anul școlar nu s-a dovedit unul fericit pentru tine, dar sper să-ți rezervi puțin timp ca să te întrebi de ce. Lucrurile care ni se întâmplă, chiar și cele rele, pot de multe ori să ne învețe câte ceva despre noi înșine. Te-ai întrebat vreodată de ce ai avut dificultăți cu acești doi elevi? Poate că te-a deranjat prietenia dintre ei? Sau te-a tulburat apariția fizică a lui Auggie? Ai pomenit faptul că ai început să ai coșmaruri. Te-ai gândit vreodată că poate ți-a fost puțin frică de Auggie, Julian? Uneori, frica îl poate împinge chiar și pe cel mai prietenos copil să spună și să facă lucruri pe care în mod obișnuit nu le-ar spune și nu le-ar face. Mă gândesc că ar merita să-ți analizezi trăirile mai profund.

În orice caz, îți doresc succes deplin la noua ta școală, Julian. Ești un copil bun! Un lider înnăscut. Amintește-ți să folosești această calitate doar în scopuri pozitive, da? Nu uita: alege întotdeauna să fii bun!

Nu știu de ce, dar eram tare, tare, *tare* fericit că primisem acest e-mail de la domnul Browne! Știam că el va înțelege! Obosisem să mă creadă toată lumea copilul diabolic, pricepeți? Se vedea clar că domnul Browne nu mă considera aşa. Am recitit mesajul de cel puţin zece ori. Zâmbeam cu gura până la urechi.

— Ce-i? m-a întrebat *grandmère*.

Tocmai se sculase şi îşi lua micul dejun: croasant şi *café au lait*[1] livrate de la cafeneaua de jos.

— Vara asta nu te-am mai văzut niciodată atât de vesel. Ce citeşti acolo, *mon cher*[2]?

— Am primit un e-mail de la un profesor de-al meu, i-am răspuns. Domnul Browne.

— De la fosta ta şcoală? m-a întrebat ea. Credeam că profesorii de acolo erau răi cu toţii şi că le-ai spus „cale bătută" tuturor!

Grandmère avea un puternic accent franţuzesc şi uneori îmi venea greu s-o înţeleg.

— Poftim?

— Cale bătută, a repetat ea. Nu contează. Am crezut că profesorii aceia au fost toţi proşti.

Pronunţa „proşti" într-un mod caraghios: prru-oşti!

— Nu toţi. Domnul Browne n-a fost, am zis eu.

— Şi ce-ţi scrie de eşti atât de vesel?

— Nu mare lucru. Numai că... Am crezut că toată lumea de acolo mă ura, dar acum ştiu că nu şi domnul Browne.

Grandmère s-a uitat la mine.

— De ce să te urască toată lumea, Julian? m-a întrebat ea. Eşti un băiat atât de bun!

— Nu ştiu, i-am răspuns.

— Citeşte-mi mesajul, a zis ea.

— Nu, *grandmère*... am început eu.

— Citeşte-l! mi-a ordonat ea, arătând cu degetul spre ecranul laptopului.

---

[1] Cafea cu lapte.
[2] Dragul meu.

I-am citit cu voce tare mesajul domnului Browne. Bunica ştia câte ceva din ce se întâmplase la Şcoala Beecher, dar nu cred că aflase toată povestea. Cu alte cuvinte, cred că mama şi tata îi spuseseră versiunea pe care le-o spuneau tuturor, poate cu câteva amănunte în plus. De exemplu, *grandmère* ştia că existau acolo doi copii care îmi făcuseră viaţa amară, dar nu ştia cum şi de ce. Îşi închipuise, probabil, că eu fusesem cel agresat şi că de asta plecam de la şcoala aceea. Aşa că au fost câteva părţi din e-mailul domnului Browne pe care nu le-a priceput.

— Ce înseamnă „apariţia fizică a lui Auggie"? m-a întrebat ea, mijind ochii ca să poată citi pe ecran. *Qu'est-ce que c'est?*[1]

— Unul dintre băieţii care nu mi-au plăcut, Auggie, are o... diformitate facială oribilă, am răspuns. Una rea de tot. Arată ca un gargui!

— Julian! a ripostat ea. Nu-i frumos din partea ta.

— Iartă-mă.

— Iar băiatul ăsta n-a fost *sympatique*[2]? a întrebat ea nevinovată. Nu s-a purtat frumos cu tine? Te-a agresat în vreun fel?

M-am gândit o clipă.

— Nu, nu m-a agresat.

— Şi atunci, de ce nu ţi-a plăcut de el?

Am ridicat din umeri.

— Nu ştiu. Pur şi simplu m-a călcat pe nervi.

— Cum adică, nu ştii? a zis ea repede. Părinţii tăi mi-au spus că ai plecat din şcoală din cauza unor agresiuni, nu? Ai primit un pumn în faţă, nu-i aşa?

---

[1] Ce este asta?
[2] Simpatic.

— Păi, da, am încasat un pumn, dar nu de la băiatul diform. De la prietenul lui.

— Aha! Deci prietenul lui a fost agresiv cu tine!

— Nu, nu-i chiar așa, am zis. Nu pot spune despre niciunul dintre ei că m-ar fi agresat, *grandmère*. Adică, nu despre asta a fost vorba. Pur și simplu nu ne-am putut suporta, atâta tot. Ne uram unii pe alții. E cam greu de explicat, trebuia să fii acolo. Uite, lasă-mă să-ți arăt ce față are. Poate că pe urmă o să pricepi mai ușor. Nu vreau să sune răutăcios, dar mi-a fost greu de tot să trebuiască să-l văd în fiecare zi. Am avut coșmaruri din cauza lui.

Am intrat pe Facebook și am găsit fotografia clasei noastre. Am mărit imaginea și am potrivit-o pe chipul lui Auggie, ca bunica să-l poată vedea. Ea și-a pus ochelarii și a petrecut multă vreme studiindu-l pe ecranul calculatorului. Mă așteptam să reacționeze așa cum reacționase mama atunci când văzuse prima oară fotografia lui Auggie, dar nu s-a întâmplat așa. *Grandmère* doar a dat ușor din cap, ca pentru sine. Pe urmă a închis laptopul.

— Rău de tot, nu? am întrebat-o eu.

S-a uitat la mine.

— Julian, a zis ea. Cred că s-ar putea ca profesorul tău să aibă dreptate. Cred că ți-a fost frică de acest băiat.

— Cum? Fugi de-aici! am răspuns eu. Mie nu mi-e frică de Auggie! Adică, nu-mi place deloc – pot să spun chiar că-l urăsc – dar nu din cauză că m-aș teme de el!

— Uneori, a zis ea, urâm anumite lucruri tocmai pentru că ne provoacă teamă.

M-am strâmbat de parcă ar fi vorbit prostii.

M-a luat de mână.

— Știu ce înseamnă să-ți fie frică, Julian, a zis ea, mângâindu-mă cu un deget pe față. Când eram mică, am cunoscut și eu un băiat care mă speria.

— Dă-mi voie să ghicesc, am zis eu plictisit. Pun pariu că semăna leit cu Auggie.

Grandmère a clătinat din cap.

— Nu. Avea un chip frumos.

— Şi atunci, de ce te temeai de el? am zis eu.

Încercasem să-mi fac vocea să sune cât mai puţin interesată, dar *grandmère* mi-a ignorat purtarea.

S-a rezemat de spătarul scaunului, cu capul uşor înclinat spre un umăr, şi mi-am dat seama uitându-mă în ochii ei că gândul i se dusese undeva foarte departe.

Povestea bunicii

— Am fost o fată foarte populară în tinerețe, Julian, a zis *grandmère*. Aveam o grămadă de prieteni. Aveam haine frumoase. După cum vezi, întotdeauna mi-au plăcut hainele frumoase. Și-a mișcat brațele pe lângă corp, ca să fie sigură că i-am remarcat rochia. A zâmbit.

— Eram o copilă frivolă, a continuat ea. Răsfățată. Atunci când nemții au invadat Franța, abia dacă am băgat de seamă. Știam că unele familii de evrei de la noi din sat începuseră să se mute în altă parte, dar familia noastră era foarte cosmopolită. Părinții mei erau intelectuali. Atei. Nici măcar nu mergeam la sinagogă.

S-a întrerupt și m-a rugat să-i aduc o carafă cu vin, ceea ce am și făcut. Și-a turnat un pahar plin și, ca de obicei, mi-a oferit și mie unul. Tot ca de obicei, eu am zis: *„Non, merci.“*[1] Cum v-am spus deja, mama ar fi explodat dacă ar fi știut ce chestii făcea uneori *grandmère*!

— La mine la școală era un băiat pe care îl chema... în fine, i se spunea Tourteau, a continuat ea. Era... ce cuvânt folosiți voi... schilod? Așa se spune?

— Nu cred că se mai folosește cuvântul ăsta, *grandmère*, am zis eu. Nu prea este corect politic, dacă înțelegi ce vreau să spun.

---

[1] Nu, mulțumesc.

A fluturat din mână.

— Americanii găsesc mereu câte un cuvânt pe care nu mai avem voie să-l spunem! a zis ea. Ei bine, Tourteau avea picioarele deformate de la poliomielită. Se deplasa în cârje. Și avea spatele strâmb complet. Cred că de asta i se spunea *tourteau*, care înseamnă „crab": mergea într-o parte, ca un crab. Știu, sună foarte crud. Copiii erau încă și mai răi pe vremea aceea.

M-am gândit cum îi spuneam eu lui Auggie „monstrul" pe la spate. Măcar nu-l strigasem așa în față niciodată!

Grandmère a continuat să povestească. Trebuie să recunosc că la început n-aveam niciun chef de vreuna dintre poveștile ei lungi, dar asta mă prinsese.

— Tourteau era micuț și schilod. Nimeni dintre noi nu vorbea niciodată cu el pentru că în preajma lui nu ne simțeam în largul nostru. Era atât de diferit! Eu nici măcar nu mă uitam la el! Îmi era frică. Mă temeam să-l privesc, mă temeam să-i vorbesc. Mă temeam ca nu cumva să mă atingă din întâmplare. Era mult mai ușor să mă prefac că nu există.

A sorbit îndelung din vin.

— Într-o dimineață, un bărbat a venit în fugă la școală. Era un Maquis, adică un partizan. Știi ce înseamnă asta? Că lupta împotriva naziștilor. A dat buzna în școală și le-a spus profesorilor că germanii veneau să-i ridice pe toți copiii evrei. Poftim? Cum adică? Nu-mi venea să cred ce auzeam! Profesorii au trecut prin toate clasele și au strâns laolaltă elevii evrei. Ne-au spus să-l urmăm pe partizan în pădure, unde urma să fim ascunși. Repede, repede, repede! Cred că eram vreo zece! Repede, repede, repede! Fugiți!

Grandmère s-a uitat la mine ca să se asigure că o ascultam. Mai încăpea vorbă?

— În dimineața aceea ningea și era foarte frig. Iar mie tot ce mi-a trecut prin cap a fost: „Dacă mă duc în pădure, o să-mi stric pantofii!" Purtam niște pantofi noi roșii, superbi, pe care mi-i cumpărase *papa*. Așa cum ți-am spus deja, eram o fată frivolă – probabil și cam proastă! Dar la asta m-am gândit. Nu m-am oprit o clipă să mă întreb unde or fi fost *maman* și *papa*. Dacă germanii veneau după copiii evrei, oare nu-i ridicaseră deja pe părinți? Asta nu mi-a dat prin minte. Nu mă puteam gândi decât la frumoșii mei pantofi. Așa că, în loc să-l urmăresc pe partizan în pădure, m-am furișat din grup și m-am dus să mă ascund în clopotnița școlii. Exista acolo o cămăruță plină de lăzi și de cărți, în ea m-am adăpostit. Mi-am zis, țin minte, că după-amiază, după ce aveau să plece germanii, o să mă duc acasă și o să le povestesc totul lui *maman* și lui *papa*. Așa de proastă eram, Julian!

Am dat din cap în semn că o ascultam. Nu-mi venea să cred că nu mai auzisem povestea aceea niciodată până atunci.

— Pe urmă au venit germanii, a continuat ea. Clopotnița avea o ferestruică prin care îi puteam vedea perfect. I-am urmărit alergând în pădure după copii. Nu le-a luat multă vreme să-i găsească. S-au întors cu toții: germanii, copiii și luptătorul Maquis.

Grandmère s-a oprit, a clipit de câteva ori, apoi a respirat adânc.

— L-au împușcat pe luptătorul în Rezistență chiar în fața copiilor, a zis ea încet. A căzut atât de moale în zăpadă, Julian! Copiii plângeau. Au plâns în timp ce au fost aliniați pe un rând. Una dintre profesoare, Mademoiselle Petitjean, li s-a alăturat – deși nu era evreică! A spus că nu-și părăsește elevii! Nimeni n-a mai văzut-o niciodată, sărmana de ea! În acel moment, Julian, mă trezisem și

eu din prostia mea. Nu mă mai gândeam la pantofii roșii.
Mă gândeam la prietenii mei care fuseseră ridicați și duși
undeva. Mă gândeam la părinții mei. Așteptam să se în-
tunece ca să mă pot duce acasă, la ei! Dar n-au plecat toți
germanii. Unii au rămas în urmă, împreună cu poliția
franceză. Au cercetat școala. Atunci mi-am dat seama că
mă căutau pe mine! Da, pe mine și pe încă unul sau doi
copii evrei care nu fugiseră în pădure. Mi-am dat seama
că prietena mea Rachel nu se aflase printre copiii ridi-
cați. Nici Jakob, un băiat din alt sat cu care toate fetele
voiau să se mărite pentru că era nespus de chipeș. Unde
să fi fost prietenii mei? Probabil că se ascundeau, la fel
ca mine! Pe urmă am auzit un scârțâit, Julian. Am auzit
pași care se apropiau pe scară. Mi-a fost atât de frică! Am
încercat să mă fac cât mai mică cu putință în spatele unei
lăzi și mi-am acoperit capul cu o pătură.

În acel moment, *grandmère* și-a acoperit capul cu bra-
țele, ca și cum mi-ar fi arătat cum se ascunsese.

— Pe urmă am auzit pe cineva șoptindu-mi numele, a
zis ea. Nu era o voce de bărbat. Era o voce de copil. „Sara?"
a șoptit vocea aceea din nou. Am scos capul de sub pătu-
ră. „Tourteau!" am răspuns eu uluită. Eram nespus de
surprinsă, pentru că în toți anii de când îl cunoșteam nu
cred că-i adresasem vreun cuvânt, și nici el mie. Cu toate
astea, era acolo și îmi rostea numele. „Te vor găsi aici",
a zis. „Vino cu mine!" Iar eu l-am urmat, pentru că deja
eram îngrozită. M-a condus pe un hol în capela școlii, în
care nu mai intrasem niciodată până atunci. Ne-am dus
în spate, unde se afla o criptă. Toate astea erau noi pentru
mine, Julian. Ne-am târât în criptă, pentru ca nemții să
nu ne poată vedea pe fereastră. Încă ne căutau. Am auzit
când au găsit-o pe Rachel. Am auzit-o țipând în curte în
timp ce o ridicau. Săraca Rachel! Tourteau m-a condus în

beciul de sub criptă. Cred că am coborât cel puțin o sută de trepte. Lui nu-i era ușor, îți dai seama, cu șchiopătatul lui îngrozitor și cu cele două cârje, dar sărea câte două trepte o dată și se uita în spate să vadă dacă veneam după el. În cele din urmă, am ajuns la o galerie. Era atât de îngustă, încât a trebuit să mergem pe o parte ca să putem trece. Și pe urmă ne-am trezit în canalul subteran de deversare a deșeurilor, Julian! Îți poți imagina? Mi-am dat seama imediat după miros, evident. Mergeam prin zoaie și murdărie până la genunchi și îți închipui cum puțea. Pantofii mei roșii erau terminați! Am mers toată noaptea. Era frig, Julian, dar Tourteau s-a dovedit un băiat atât de bun! Mi-a dat haina lui. A fost, până în ziua de azi, cea mai nobilă faptă pe care a făcut-o cineva pentru mine. Murea și el de frig, dar mi-a dat haina lui! Îmi era atât de rușine pentru felul în care mă purtasem cu el! Of, Julian, atât de rușine!

Grandmère și-a acoperit gura cu degetele și a înghițit în gol. Pe urmă a terminat paharul de vin și și-a mai turnat unul.

— Canalul ducea la Dannevilliers, un sătuc aflat la vreo cincisprezece kilometri de Aubervilliers. *Maman* și *papa* evitaseră întotdeauna locul acela din cauza mirosului: canalizarea Parisului se deversa pe câmpurile de acolo. Nici măcar mere de la Dannevilliers nu mâncam! Dar acolo locuia Tourteau. M-a dus la el acasă, ne-am spălat la fântână și pe urmă Tourteau m-a condus la hambarul din spatele casei. M-a învelit cu o pătură pentru cai și mi-a spus să aștept. Se ducea să-și cheme părinți. „Nu!" m-am rugat eu. „Te rog să nu le spui că sunt aici!" Mă temeam că, dacă mă văd, îi vor chema pe germani. Nu-i cunoscusem până atunci, înțelegi? Dar Tourteau a plecat și peste câteva minute s-a întors cu părinții lui. M-au privit.

Cred că arătam jalnic de tot – udă leoarcă și tremurând. Mama lui Tourteau, Vivienne, m-a luat în brațe ca să mă liniștească. Vai, Julian, îmbrățișarea aceea a fost cea mai caldă îmbrățișare din viața mea! Am plâns din răsputeri în brațele acelei femei pentru că am înțeles atunci că nu voi mai putea plânge niciodată în brațele mamei mele. Știam asta în inima mea, Julian, și am avut dreptate. O ridicaseră pe mama în aceeași zi, împreună cu toți evreii din sat. Tata, care era la serviciu, fusese avertizat de descinderea germanilor și reușise să scape. A trecut granița pe ascuns în Elveția, dar pentru mama a fost prea târziu. Au deportat-o chiar în ziua aceea. La Auschwitz. N-am mai văzut-o niciodată pe mama mea cea minunată!

Aici, bunica a oftat din rărunchi și a clătinat din cap.

Tourteau

Grandmère a rămas tăcută câteva secunde. Se uita în gol de parcă putea vedea totul întâmplându-se din nou în fața ochilor ei. Am înțeles atunci de ce nu mai povestise momentul acela niciodată: i-ar fi fost prea greu.

— Familia lui Tourteau m-a ascuns în hambarul lor timp de doi ani, a continuat ea rar. Deși era foarte periculos pentru ei. Eram efectiv înconjurați de germani, iar poliția franceză avea un mare cartier general la Dannevilliers. În fiecare zi îi mulțumeam creatorului pentru hambarul acela care îmi era casă și pentru mâncarea pe care reușea să mi-o aducă Tourteau – chiar dacă mâncarea se găsea cu mare greutate. Lumea murea de foame în vremurile acelea, Julian, și oamenii aceia mă hrăneau. Au fost de o bunătate pe care n-o voi uita niciodată. Întotdeauna este nevoie de curaj ca să fii bun, dar în acele zile o asemenea bunătate te putea costa viața.

În acest moment, bunicii i-au răsărit lacrimi în ochi. M-a luat de mână.

— Ultima dată l-am văzut pe Tourteau cu două luni înainte de eliberarea de sub ocupația germană. Îmi adusese niște supă. Nici măcar nu era supă, doar apă cu bucăți de pâine și de ceapă în ea. Slăbiserăm amândoi enorm. Eu eram îmbrăcată în zdrențe. Atât mai rămăsese din hainele mele frumoase. Dar, chiar și așa, reușeam să râdem, Tourteau și cu mine. Râdeam despre lucruri care se întâmplau la şcoală. Eu nu mai puteam merge la şcoală, desigur, dar el se ducea în fiecare zi. Seara îmi spunea tot ce învăţase, ca să nu mă prostesc. Îmi povestea şi despre vechii mei prieteni. Ei continuau cu toţii să-l ignore, evident. Iar el nu spusese nimănui că eu mai trăiam. Nu trebuia să ştie nimeni. Nu puteam avea încredere în nimeni! Dar Tourteau era un povestitor excelent şi mă făcea să râd din belşug. Îmi imita prietenii nemaipomenit de bine şi le dăduse tuturor porecle caraghioase. Imaginează-ţi, Tourteau se distra pe socoteala lor! „Habar n-aveam că eşti atât de răutăcios!" i-am spus. „În toţi anii ăştia, probabil că ai râs şi de mine pe la spate!" „Să râd de tine? Niciodată!" a zis el. „De tine eram îndrăgostit. În plus, am râs doar de copiii care îşi băteau joc de mine. Tu nu ţi-ai bătut joc. Doar m-ai ignorat." „Îţi spuneam Tourteau", am zis eu. „Şi ce? Toată lumea îmi spune aşa. Nu-mi pasă câtuşi de puţin. Îmi plac crabii."

„Vai, Tourteau, mi-e atât de ruşine!" i-am răspuns – şi ţin minte că mi-am acoperit faţa cu amândouă mâinile.

În clipa aceea, *grandmère* şi-a acoperit din nou faţa cu mâinile. Deşi avea degetele strâmbate de artrită şi i se vedeau venele, mi-am imaginat mâinile ei tinere acoperindu-i chipul de fată în urmă cu atâţia ani.

— Tourteau mi-a luat mâinile într-ale lui, a continuat ea, descoperindu-şi încet faţa. Le-a ţinut câteva secunde. Aveam paisprezece ani pe-atunci şi nu sărutasem niciodată vreun băiat, iar în ziua aceea el m-a sărutat, Julian.

Grandmère a închis ochii şi a oftat adânc.

— După ce m-a sărutat, i-am zis: „Nu vreau să-ţi mai spun Tourteau. Cum te cheamă?"

Grandmère a deschis ochii şi s-a uitat la mine.

— Poţi să ghiceşti ce mi-a răspuns? m-a întrebat.

Am ridicat din sprâncene ca şi cum i-aş fi spus: „Nu, de unde să ştiu eu?"

Pe urmă, *grandmère* a închis din nou ochii şi a zâmbit.

— A spus: „Mă cheamă Julian."

Julian

— Doamne! am strigat eu. De aceea l-ai botezat pe tata Julian?

Aşa îl chema pe tata, chiar dacă toată lumea îi spunea Jules.

— *Oui*[1], a zis bunica şi a încuviinţat din cap.

— Iar pe mine mă cheamă ca pe tata! am zis. Aşadar, am primit numele acelui copil! Ce chestie faină!

Grandmère a zâmbit şi mi-a trecut degetele prin păr, dar n-a zis nimic.

Pe urmă mi-am amintit că spusese: „Ultima dată când l-am văzut pe Tourtcau..."

— Şi ce s-a întâmplat cu el? am întrebat. Cu Julian?

Aproape instantaneu, pe obrajii bunicii s-au rostogolit lacrimi.

— L-au luat germanii în aceeaşi zi, a zis ea. Se ducea la şcoală. Soldaţii făceau în dimineaţa aceea o nouă descindere în sat. Germania pierdea deja războiul, iar ei ştiau.

— Dar... El nici măcar nu era evreu, am zis eu.

— L-au luat pentru că era schilod, a zis bunica printre suspine. Iartă-mă, ştiu că m-ai avertizat că ăsta-i un cuvânt nepotrivit, dar nu ştiu altul în engleză. Era *invalide*[2]. În franţuzeşte aşa se spune. De aceea l-au luat. Nu era *perfect*.

---

[1] Da (în franceză, în original).
[2] Invalid.

Aproape că scuipase ultimul cuvânt.

— În ziua aceea i-au ridicat pe toți imperfecții din sat. A fost o „purificare". Pe țigani. Pe băiatul cizmarului, care era... încet la minte. Și pe Julian. *Crabul* meu. L-au pus într-o căruță împreună cu ceilalți. Pe urmă l-au urcat în tren la Drancy. Iar de acolo l-au dus la Auschwitz, ca pe mama. Am aflat mai târziu de la cineva care l-a văzut acolo că l-au trimis imediat în camera de gazare. Uite-așa, puf, a dispărut. Salvatorul meu. Micul meu Julian.

S-a oprit să-și șteargă ochii cu batista și pe urmă a băut restul de vin din pahar.

— Părinții lui au fost distruși, desigur, a continuat ea. Domnul Beaumier și doamna Beaumier. N-am aflat oficial că murise decât după eliberare. Dar știam. Noi știam.

S-a oprit din nou să-și tamponeze ochii.

— Am locuit la familia lui încă un an după ce războiul s-a terminat. M-au tratat ca pe propria lor fiică. Ei sunt cei care m-au ajutat să dau de urma tatei, deși a durat mult până să-l găsim. Era mare haos în perioada aceea. Când *papa* a reușit în sfârșit să se întoarcă la Paris, m-am dus să locuiesc cu el. Dar i-am vizitat mereu pe soții Beaumier, chiar și după ce au îmbătrânit. N-am uitat niciodată cât de buni au fost cu mine.

A oftat. Își terminase povestea.

— *Grandmère*, am zis eu, după câteva minute. Cred că ăsta-i cel mai trist lucru pe care l-am auzit vreodată! Nici măcar n-am știut că ai trecut prin război. Tata, adică, n-a pomenit niciodată despre asta.

Ea a ridicat din umeri.

— Cred că se prea poate să nu-i fi istorisit tatălui tău această poveste. În multe aspecte, continui să fiu fata frivolă de pe vremuri. Dar când te-am auzit vorbind despre băiatul acela de la tine de la școală, n-am putut să nu mă gândesc la Tourteau, la cât de frică mi-a fost cândva de el și la cât de urât l-am tratat cu toții din cauza diformității lui. Copiii aceia au fost foarte răi cu el, Julian. Mi se frânge inima când mă gândesc.

După ce a spus *grandmère* asta, nu știu cum, dar parcă ceva s-a rupt înăuntrul meu. Absolut și complet pe neașteptate. M-am uitat în jos și dintr-odată am început să plâng. Iar când spun că am început să plâng nu înseamnă doar că mi se rostogoleau lacrimile pe obraji – înseamnă că plângeam pe rupte, în hohote.

— Julian... a zis ea blând.

Am clătinat din cap și mi-am acoperit fața cu palmele.

— M-am purtat îngrozitor, *grandmère*! am șoptit. Am fost atât de rău cu Auggie! Îmi pare nespus de rău, *grandmère*!

— Julian, a zis ea din nou. Uită-te la mine!

— Nu!

— Uită-te la mine, *mon cher.*

Mi-a luat fața în palme și m-a silit să mă uit la ea. Îmi era atât de rușine! Pur și simplu nu mă puteam uita în ochii ei. Cuvântul acela pe care îl folosise domnul Tushman, cuvântul pe care toată lumea încerca să mi-l bage pe gât a început brusc să-mi urle în creier. REMUȘCARE!

Da, cuvântul ăsta, în toată măreția lui.

REMUȘCARE. Tremuram acum de remușcare. Plângeam de remușcare.

— Julian, a zis *grandmère*. Toți facem greșeli, *mon cher.*

— Nu, tu nu înțelegi! am răspuns. N-am făcut numai o singură greșeală. *Eu* am fost unul dintre copiii aceia care se purtau urât cu Tourteau... Eu am fost agresorul, *grandmère*. Eu am fost de vină!

Ea a încuviințat din cap.

— L-am numit „monstru". Am râs de el pe la spate. *I-am lăsat bilete pline de răutăţi!* am ţipat eu. Mama tot găseşte scuze pentru ce-am făcut... dar nu am nicio scuză. Pur şi simplu aşa m-am purtat! Şi nici măcar nu ştiu de ce. Nici măcar nu ştiu!

Plângeam atât de tare, încât nici nu mai puteam vorbi. *Grandmère* m-a mângâiat pe cap şi m-a îmbrăţişat.

— Julian, a zis ea cu blândeţe. Eşti atât de tânăr! Ştii că lucrurile pe care le-ai făcut n-au fost corecte. Dar asta nu înseamnă că nu eşti în stare să te porţi aşa cum trebuie. Înseamnă doar că ai ales răul. De aceea spun că ai făcut o greşeală. La fel am făcut şi eu. Şi eu am greşit cu Tourteau. Dar ce-i grozav în viaţă, a continuat ea, este că uneori ne putem îndrepta greşelile. Învăţăm din ele. Devenim mai buni. Eu n-am mai făcut niciodată în viaţa mea greşeala pe care am făcut-o cu Tourteau. Şi am avut o viaţă foarte, foarte lungă. Vei învăţa şi tu din greşeala ta. Trebuie să-ţi făgăduieşti că nu te vei mai purta cu nimeni, niciodată, aşa cum te-ai purtat cu acest băiat. O singură greşeală nu ne defineşte, Julian. Mă înţelegi? Trebuie pur şi simplu să te comporţi mai bine data viitoare.

Am dat din cap că da, dar am continuat să plâng multă, foarte multă vreme după aceea.

Visul meu

În noaptea aceea l-am visat pe Auggie. Nu-mi amintesc detaliile visului, dar cred că eram urmăriți de naziști. Auggie a fost capturat, însă eu aveam o cheie cu care puteam să-l eliberez. În vis, cred că l-am salvat. Sau cel puțin așa mi-am spus când m-am trezit. Uneori, pricepi greu visele. Adică, în visul ăsta, de exemplu, toți naziștii arătau ca ofițerii imperiali ai lui Darth Vader, așa că nu poți să pui prea mult preț pe înțelesul lor.

Din punctul meu de vedere, interesant a fost, când m-am gândit la el, că avusesem un vis, nu un coșmar. Iar în vis, Auggie și cu mine eram în aceeași tabără.

M-am trezit super devreme, din cauza visului, și n-am mai putut adormi. M-am tot gândit la Auggie și la Tourteau-Julian, băiatul-erou după care fusesem numit. Ce ciudat! Tot timpul mă gândisem la Auggie ca la un dușman, dar când *grandmère* mi-a spus povestea ei, nu știu, parcă totul a avut alt ecou. Mă tot gândeam cât de rușine i-ar fi fost lui Julian cel original să știe că cineva care îi purta numele fusese atât de rău.

Mă tot gândeam și cât de tristă fusese *grandmère* când îmi spusese povestea asta. Cum își amintea toate amănuntele, deși totul se petrecuse cu vreo șaptezeci de ani în urmă. Șaptezeci de ani! Oare Auggie o să-și amintească de mine peste șaptezeci de ani? O să-și mai amintească ce rău am fost cu el?

Nu vreau să fiu ținut minte pentru astfel de lucruri. Vreau să fiu ținut minte în felul în care *grandmère* și-l amintește pe Tourteau!

Domnule Tushman, acum am înțeles. REMUȘCARE!

M-am dat jos din pat de îndată ce s-a luminat și am scris acest mesaj:

Dragă Auggie,
Vreau să-mi cer scuze pentru toate lucrurile pe care ți le-am făcut anul trecut. M-am gândit mult la ele. Nu le meritai. Aș vrea să pot retrăi anul ăsta. Aș fi mai de treabă. Sper să nu-ți aduci aminte cât de rău am fost atunci când vei avea optzeci de ani. Îți doresc o viață frumoasă.

Julian

PS: Dacă tu i-ai spus domnului Tushman despre bilete, nu-ți face probleme. Nu te învinovățesc.

După-amiază, când s-a trezit *grandmère*, i-am citit mesajul.

— Sunt mândră de tine, Julian, a zis ea și m-a strâns de umăr.

— Crezi că mă va ierta?

A stat și s-a gândit.

— Depinde de el, mi-a răspuns. Până la urmă, *mon cher*, tot ce contează este să te ierți tu însuți. Să înveți din greșeala ta. Așa cum am învățat eu cu Tourteau.

— Crezi că Tourteau m-ar ierta dacă ar ști că cel care îi poartă numele a fost atât de rău?

Bunica m-a sărutat pe o mână.

— Tourteau te-ar ierta, mi-a răspuns.

Mi-am dat seama că credea ce-a spus.

Plecarea acasă

Mi-am dat seama că nu aveam adresa lui Auggie, așa că i-am scris din nou un e-mail domnului Browne și l-am întrebat dacă era de acord să-i trimit lui mesajul pentru Auggie și să îl expedieze el în numele meu. Domnul Browne mi-a răspuns imediat. O făcea bucuros. Mi-a mai spus și că era mândru de mine.

Asta m-a făcut să mă simt bine. Adică, bine *cu adevărat*. Și mă simțeam bine să mă simt bine. Mi-e cam greu să explic, dar cred că obosisem să mă simt un copil îngrozitor. Nu sunt așa. Așa cum tot spun și repet, sunt doar un copil obișnuit. Care a făcut o greșeală.

Dar acum încercam s-o îndrept.

Părinții mei au sosit o săptămână mai târziu. Mama nu mai prididea să mă îmbrățișeze și să mă sărute. Niciodată nu mai lipsisem de-acasă atât de mult timp.

Abia așteptam să le povestesc despre e-mailul primit de la domnul Browne și despre mesajul pe care i-l scrisesem lui Auggie. Dar mai întâi mi-au spus ei veștile lor.

— Dăm școala în judecată! a zis mama entuziasmată.

— Poftim? am strigat eu.

— Tata le face proces pentru încălcarea contractului, a zis ea.

Practic ciripea de încântare.

M-am uitat la *grandmère*, care n-a spus nimic. Stăteam toți la masă.

— Nu au dreptul să-ți retragă opțiunea de înscriere, a explicat tata calm, ca un avocat. Nu înainte să te fi înmatriculat în altă școală. Hal mi-a spus – la el în birou – că vor aștepta să revoce invitația de a te înscrie în anul viitor până *după* ce vom fi primit acceptul altei școli. Și că ne vor restitui banii de taxă. Am avut o înțelegere verbală.

— Dar oricum urma să merg la altă școală! am protestat eu.

— Nu contează, a zis el. Chiar dacă ne-ar restitui banii, principiul rămâne.

— Care principiu? a zis *grandmère*, ridicându-se de la masă. E absurd, Jules. E o prostie. *Prru-ostie*. O tâmpenie imensă!

— *Maman!* a zis tata.

Părea complet surprins. La fel și mama.

— Ar trebui să încetezi cu prostia asta! a zis *grandmère*.

— Tu nu cunoști toate detaliile, *maman*, a zis tata.

— Ba da, cunosc *toate* detaliile! a strigat ea, agitând pumnul în aer – arăta fioros. Băiatul a greșit, Jules! Băiatul *vostru* a fost cel care a greșit. El știe. Și voi știți. I-a făcut porcării celuilalt copil și îi pare rău, iar voi ar trebui să lăsați lucrurile așa cum sunt.

Mama și tata s-au uitat unul la altul.

— Cu tot respectul, Sara, a zis mama, cred că noi știm ce-i mai bine pentru...

— Nu, voi nu știți nimic! a strigat din nou *grandmère*. Habar n-aveți. Sunteți amândoi mult prea ocupați cu procese și alte prostii.

— *Maman*, a zis tata.

— Are dreptate, tată, am zis. Numai eu am fost de vină în toată treaba cu Auggie. *Eu* am greșit. Am fost rău cu el fără niciun motiv. Jack m-a pocnit din vina mea. Tocmai îl numisem pe Auggie monstru.

— Cum? a zis mama.

— Am scris biletele acelea oribile, am zis eu repede. Am făcut multe lucruri rele. Eu am fost de vină. Eu am fost agresorul, mamă! N-a fost decât vina mea şi a nimănui altcuiva!

Mama şi tata nu ştiau ce să mai spună.

— În loc să staţi acolo ca doi idioţi, a zis *grandmère*, care spunea întotdeauna lucrurilor pe nume, mai bine l-aţi lăuda pe Julian pentru că a recunoscut! Îşi asumă responsabilitatea! Îşi recunoaşte greşelile. E nevoie de mult curaj ca să faci asta.

— Da, bineînţeles, a zis tata, frecându-şi bărbia şi uitându-se la mine. Dar... pur şi simplu nu cred că înţelegi toate implicaţiile legale. Şcoala a încasat taxa pentru anul viitor şi a refuzat să ne-o restituie, ceea ce...

— Bla, bla, bla! a zis *grandmère*, făcându-i semn cu mâna s-o lase baltă.

— I-am scris ca să-mi cer scuze, tată. Lui Auggie. I-am scris un mesaj şi i l-am trimis! Mi-am cerut iertare pentru felul în care m-am purtat.

— Ce-ai făcut? a izbucnit tata.

De-acum se înfuriase.

— Şi i-am spus adevărul şi domnului Browne, am adăugat. I-am scris domnului Browne un e-mail lung în care i-am povestit totul.

— Julian... a zis tata, încruntându-se plin de nervi. De ce ai făcut asta? Ţi-am spus că nu vreau să scrii nimic prin care să recunoşti...

— Jules! a zis tare *grandmère*, fluturând o mână prin faţa nasului tatei. *Tu as un cerveau comme un sandwich au fromage!*[1]

---

[1] Ai un creier ca un sendviş cu brânză.

Nu m-am putut abține să nu izbucnesc în râs. Tata s-a crispat.

— Ce-a spus? a întrebat mama, care nu știa franțuzește.

— *Grandmère* tocmai i-a spus tatei că are un creier ca un sendviș cu brânză, am zis eu.

— *Maman!* a zis tata aspru, ca și cum intenționa să înceapă să-i țină o predică lungă.

Dar atunci mama l-a luat pe tata de braț.

— Jules, a zis ea încet, cred că mama ta are dreptate.

Neaşteptat

Uneori, oamenii te surprind. Nici într-un milion de ani n-aş fi crezut că mama va da înapoi de la ceva, aşa că am fost absolut şocat de ceea ce tocmai spusese. Mi-am dat seama că şi tata era. S-a uitat la mama ca şi cum nu i-ar fi venit să-şi creadă urechilor. *Grandmère* era singura care nu părea surprinsă.

— Glumeşti? a întrebat-o tata pe mama.

Mama a clătinat încet din cap.

— Jules, trebuie să punem capăt acestei situaţii. Trebuie să trecem peste ce s-a întâmplat şi să mergem înainte. Mama ta are dreptate.

Tata a ridicat din sprâncene. Mi-am dat seama că era furios, dar încerca să n-o arate.

— Tu eşti cea care ne-a băgat în război ul ăsta, Melissa!

— Ştiu, a răspuns ea, scoţându-şi ochelarii.

Ochii îi străluceau.

— Ştiu! Ştiu! Şi în momentul acela mi s-a părut un lucru corect. Cred în continuare că Tushman nu a gestionat lucrurile aşa cum se cuvenea, dar... Acum sunt gata să trec peste toate astea, Jules. Cred că ar trebui... să renunţăm şi să mergem mai departe.

A ridicat din umeri şi s-a uitat la mine.

— Este un lucru foarte mare că Julian l-a contactat pe acel băiat, Jules. A avut nevoie de foarte mult curaj. Ar trebui să-l sprijinim, a adăugat ea şi s-a uitat din nou la tata.

— Sigur că îl sprijinim, a zis tata. Dar este așa o răsturnare de situație, Melissa! Adică...

A clătinat din cap și s-a uitat în tavan.

Mama a oftat. Nu știa ce să mai spună.

— Fiți atenți, a zis *grandmère*. Tot ce a făcut Melissa a fost pentru că voia ca Julian să fie mulțumit. Atât. *C'est tout.* Iar el acum este mulțumit. Puteți vedea asta cu ochii voștri. Pentru prima oară după multă vreme, fiul vostru pare complet mulțumit.

— Este absolut adevărat, a zis mama, ștergându-și o lacrimă de pe obraz.

Mi-a părut cumva rău pentru mama în clipa aceea. Îmi dădeam seama că se simțea prost în legătură cu unele lucruri pe care le făcuse.

— Tată, am zis, te rog să nu dai în judecată școala. Eu nu vreau asta. Bine, tată? Te rog!

Tata s-a lăsat pe spate în scaun și a dat drumul unui fluierat lung și aproape neauzit, ca și cum ar fi suflat într-o lumânare cu încetinitorul. Pe urmă a început să țâțâie cu limba de cerul gurii. A rămas așa un minut întreg. Noi doar am stat și ne-am uitat la el.

În cele din urmă s-a îndreptat din nou de spate și ne-a privit. A ridicat din umeri.

— Bine, a zis el, ridicând palmele. Renunț la proces. Nu ne mai gândim la banii de taxă. Ești sigură că asta vrei, Melissa?

Mama a încuviințat din cap.

— Sunt sigură.

Grandmère a oftat.

— În sfârșit am învins, a murmurat ea în paharul de vin.

Un nou început

Peste o săptămână am plecat acasă, dar nu înainte ca *grandmère* să ne ducă într-un loc foarte special: satul în care copilărise ea. Mie mi se părea uimitor că nu-i spusese niciodată tatei toată povestea cu Tourteau. Singurul lucru pe care îl știa el era că o familie din Dannevilliers o ajutase în timpul războiului, dar bunica nu-i oferise niciodată alte detalii. Nu-i spusese nici măcar că bunica lui murise într-un lagăr de concentrare.

— *Maman*, cum de nu mi-ai povestit niciodată nimic din toate astea? a întrebat-o tata, în timp ce mergeam cu mașina spre satul ei natal.

— Doar mă cunoști, Jules, a răspuns *grandmère*. Nu-mi place să trăiesc în trecut. Viața este în fața noastră. Dacă petrecem prea mult timp uitându-ne în urmă, nu mai vedem încotro ne îndreptăm!

Satul se schimbase mult. Prea multe bombe și grenade căzuseră acolo. O mulțime dintre casele vechi fuseseră distruse în război. Școala bunicii dispăruse. Nu prea era nimic de văzut. Doar cafenele Starbucks și magazine de pantofi.

Pe urmă însă ne-am dus la Dannevilliers, unde locuise Julian. Satul acela rămăsese intact. *Grandmère* ne-a condus la hambarul unde stătuse ascunsă vreme de doi ani. Fermierul bătrân care locuia acum acolo ne-a lăsat să intrăm și să aruncăm o privire. *Grandmère* și-a găsit inițialele scrijelite într-un ungher din grajdul cailor, unde se ascundea sub fân de fiecare dată când prin preajmă umblau naziștii. A stat în mijlocul șurei și s-a uitat de jur împrejur, cu o mână pe obraz. Părea atât de mărunțică, acolo!

— Ești bine, *grandmère*? am întrebat-o.

— Eu? Da, a zis ea, zâmbind și și-a lăsat capul într-o parte. Am supraviețuit. Când stăteam aici, țin minte că mă gândeam că n-o să-mi mai iasă niciodată din nări mirosul de bălegar de cal. Dar am supraviețuit. Jules s-a născut pentru că am supraviețuit. Și așa te-ai născut tu. Ce mai înseamnă mirosul de balegă pe lângă asta? Parfumul și timpul fac totul mai ușor de suportat. Acum, aș mai vrea să vizitez un loc...

Am mers cu mașina încă zece minute până la un mic cimitir de la marginea satului. *Grandmère* ne-a condus direct la un mormânt de pe una dintre margini.

Pe piatra de mormânt era o mică placă albă de ceramică. Avea formă de inimă și pe ea scria:

ICI REPOSENT

Vivienne Beaumier
née le 27 de avril 1905
décédée le 21 de novembre 1985

Jean-Paul Beaumier
né le 15 de mai 1901
décédé le 5 de juillet 1985

Mère et père de
Julian Auguste Beaumier
né le 10 de octobre 1930

tombé en juin 1944
Puisse-t-il toujours marcher le front haut
dans le jardin de Dieu.

Am privit-o pe *grandmère* în timp ce se uita la placă. Și-a sărutat degetele, apoi s-a aplecat și a atins-o. Tremura.

— M-au tratat ca pe fiica lor, a zis ea, cu lacrimile rostogolindu-i-se pe obraji.

A început să suspine. I-am luat mâna și i-am sărutat-o. Mama l-a luat de mână pe tata.

— Ce scrie pe placă? l-a întrebat ea cu blândețe.

Tata și-a dres glasul.

— Aici odihnesc Vivienne Beaumier... a tradus el încet. Și Jean-Paul Beaumier. Mama și tatăl lui Julian Auguste Beaumier, născut la 10 octombrie 1930. Ucis în iunie 1944. Fie să meargă de-a pururi cu fruntea sus în grădina lui Dumnezeu.

New York

Am ajuns la New York cu o săptămână înainte să începă orele la noua mea școală. Mi-a plăcut să stau din nou în camera mea. Lucrurile erau aceleași, dar eu mă simțeam... nu știu, cumva diferit. Nu pot să explic în ce fel. Mă simțeam ca și cum chiar o luam de la început.

— Te ajut imediat să despachetezi, a zis mama, dând fuga în baie de cum am intrat pe ușă.

— Mă descurc, i-am răspuns.

Tata era în sufragerie, verifica mesajele de pe robotul telefonic. Am început să-mi desfac valiza. Pe urmă am auzit pe robot o voce cunoscută.

M-am oprit din treabă și m-am dus în living. Tata s-a uitat la mine și a oprit înregistrarea, apoi a pus-o de la capăt ca s-o pot asculta.

Era Auggie Pullman.

„Hei, bună, Julian", spunea mesajul. „Păi... voiam numai să-ți spun că am primit mesajul tău. Și... da, mulțumesc că mi-ai scris. Nu-i nevoie să mă suni înapoi. Voiam doar să știi. Cred că ne-am împăcat. Apropo, nu eu i-am spus lui Tushman despre bilete, asta ca să știi. Nici Jack, nici Summer. Chiar nu știu cum a aflat, nu că ar mai conta. Așa că... bine. Sper să-ți placă la noua ta școală. Succes. Pa!"

Clic.

Tata se uita la mine să vadă cum o să reacționez.

— Uau! am zis. Nu mă așteptam la asta.

— Ai de gând să-l suni? m-a întrebat tata.

Am clătinat din cap.

— Neah, i-am răspuns. Sunt prea laș.

Tata a venit la mine și mi-a pus o mână pe umăr.

— Cred că ai dovedit că nu ești *câtuși de puțin* laș, a zis el. Sunt mândru de tine, Julian. Sunt foarte mândru de tine.

S-a aplecat și m-a îmbrățișat.

— *Tu marches toujours le front haut.*[1]

Am zâmbit.

— Așa sper să fac, tată.

Chiar sper.

---

[1] Să mergi întotdeauna cu fruntea sus.

Cuprins

Descoperă și *365 de zile*, unde sunt puse laolaltă, pentru fiecare zi din an, citatele care l-au inspirat pe domnul Browne, profesorul care le-a schimbat viața elevilor săi învățându-i să aleagă să fie buni

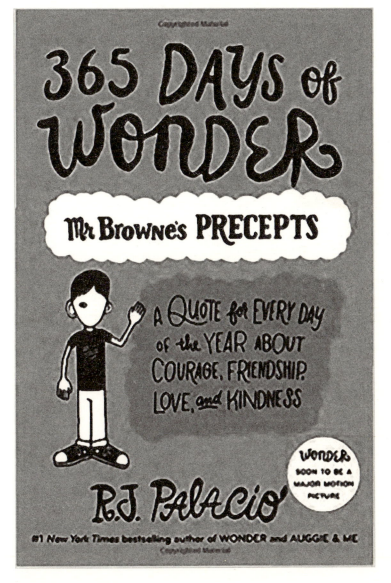

Preceptele sau maximele au mare însemnătate; să ai la îndemână câteva dintre cele valoroase te ajută mai mult în a-ți croi o viață fericită decât tomuri întregi pe care nu știi unde să le cauți.

Seneca

Principiile

Pe tatăl meu l-a chemat Thomas Browne. Și pe tatăl *lui* l-a chemat Thomas Browne. De aceea și *pe mine* mă cheamă Thomas Browne. Abia când am ajuns în ultimul an de facultate am aflat că a existat un Thomas Browne mult mai ilustru, care a trăit în Anglia secolului al XVII-lea. Sir Thomas Browne a fost un autor înzestrat, un student al naturii, un om de știință, un erudit și un susținător înflăcărat al toleranței într-o perioadă în care intoleranța era normă. Pe scurt, e cel mai bun tiz pe care mi l-aș fi putut dori.

În facultate am început să citesc multe dintre scrierile lui sir Thomas Browne, printre care și *Cercetări ale multor dogme primite de-a gata și ale ideilor considerate de obicei adevărate*, o carte care își propunea să dea în vileag convingerile predominant false din acele vremuri, și *Religio Medici*, o lucrare care conținea mai multe investigații religioase considerate extrem de neortodoxe pentru perioada aceea. În timp ce o citeam pe cea din urmă, am dat peste această frază minunată:

Purtăm în noi minunile pe care le căutăm în afara noastră.

Dintr-un oarecare motiv, frumusețea și puterea acelei fraze m-au făcut să mă opresc. Poate că era exact ceea ce aveam nevoie să aud în acel moment din viața mea, când eram măcinat de îndoiala că meseria pe care o alesesem – aceea de profesor – era plină de destule „minuni" ca să fiu fericit. Am notat fraza pe o bucățică de hârtie și am lipit-o pe perete, unde a și rămas până am absolvit facultatea. Am luat-o cu mine la masterat. M-am alăturat celor de la Peace Corps[1] și am luat-o cu mine în portofel pe oriunde am călătorit cu ei. Soția mea a laminat și a pus în ramă bilețelul când ne-am căsătorit, iar acum este agățat în holul apartamentului nostru din Bronx.

Acela a fost unul dintre multele principii din viața mea pe care am început să le colecționez notându-le într-un carnețel. Citate din cărțile pe care le citeam. Răvașe din prăjiturele. Texte de pe felicitări. Ba chiar am notat și sloganul din reclamele de la Nike – „Just do it!"[2], pentru că mi s-a părut îndemnul perfect pentru mine. La urma urmei, poți să te inspiri de oriunde.

Prima dată le-am prezentat aceste precepte elevilor mei când făceam practică pedagogică în timpul facultății. Îmi era greu să-i fac pe copii să fie interesați de exercițiile de scriere – cred că îi rugasem să scrie o compunere de o sută de cuvinte despre ceva ce însemna mult pentru ei, așa că le-am adus hârtiuța laminată cu citatul din Thomas Browne, ca să le arăt ceva ce înseamnă mult pentru mine. Ei bine, s-a dovedit că au fost mult mai interesați să descopere înțelesul citatului decât să vadă de ce mă impresionase pe mine atât de mult, așa că i-am rugat să scrie despre asta în schimb. Am fost uimit de ce au scris!

---

[1] Organizație înființată de guvernul Statelor Unite ale Americii în 1961, care trimite voluntari în țările în curs de dezvoltare, ca să lucreze la proiecte din diverse domenii. (N. tr.)

[2] „Fă-o!" (în engleză, în original). (N. tr.)

De atunci am început să folosesc principiile la orele mele. Conform dicționarului, un principiu este un „element fundamental, idee, lege de bază pe care se întemeiază o teorie științifică, un sistem politic, juridic, o normă de conduită etc." Elevilor mei le-am dat mereu o definiție mai simplă: principiile sunt „cuvinte după care să te ghidezi". Ușor. La începutul fiecărei luni scriu pe tablă un nou principiu, ei îl copiază în caiet, iar apoi discutăm despre el. La sfârșitul lunii au de scris un eseu despre acel principiu. Iar apoi, la sfârșitul anului școlar le dau adresa mea de acasă și îi rog ca, peste vară, să îmi trimită o vedere cu un principiu nou, personal – poate să fie un citat dintr-o persoană celebră sau un principiu inventat de ei. Îmi aduc aminte că în primul an în care am făcut asta m-am întrebat dacă o să primesc măcar un principiu. Am fost copleșit când, la sfârșitul verii, toți elevii din *toate* clasele la care predam îmi trimiseseră vederi! Puteți să vă dați seama că am fost și mai uimit când, vara următoare, s-a întâmplat același lucru. Doar că de data aceea nu am mai primit vederi doar de la elevii din anul în curs, ci am primit destule și de la cei din anul precedent!

Sunt profesor de zece ani. Până în momentul de față am adunat în jur de două mii de principii. Când domnul Tushman, directorul de la Școala Generală Beecher, a auzit una ca asta, mi-a sugerat să le strâng pe toate și să le transform într-o carte pe care aș putea să o împărtășesc cu toată lumea.

Bineînțeles că m-a intrigat ideea asta, dar n-am știut de unde să încep. Cum să aleg ce principii să includ în carte? M-am hotărât să mă axez pe teme cu care copiii rezonează în mod special, așa că am ales unele care vorbesc despre bunătate, caracter puternic, tăria de a trece peste necazuri sau pur și simplu despre a face bine. Îmi plac principiile care, cumva, te înalță sufletește. Am ales câte un principiu pentru fiecare zi din an. Sper că cititorii acestei cărți vor începe fiecare zi cu unul dintre aceste „cuvinte după care să te ghidezi".

Sunt foarte încântat că pot să împărtășesc cu voi principiile mele preferate. Pe multe dintre ele le-am notat eu de-a lungul anilor. Unele mi-au fost trimise de elevii mei. Toate au o însemnătate specială pentru mine. Așa cum sper că vor avea și pentru voi.

Domnul Browne

IANUARIE

1 ianuarie

Purtăm în noi minunile
pe care le căutăm în afara noastră.

Sir Thomas Browne

2 ianuarie

Și, mai presus de toate, privește cu ochi
strălucitori lumea din jurul tău,
căci cele mai mari secrete se ascund mereu
în cele mai neverosimile locuri. Cei care
nu cred în magie nu o vor găsi niciodată.

Roald Dahl

3 ianuarie

Trei lucruri sunt importante în viață:
primul este să fii bun; al doilea este să fii
bun; al treilea este să fii bun.

Henry James

4 ianuarie

Niciun om nu e o insulă,
nu e de sine stătător.

John Donne

5 ianuarie

Îs ce îs.

Popey Marinarul (Elzie Crisler Segar)

6 ianuarie

N-ai nevoie decât de dragoste.

John Lennon și Paul McCartney

7 ianuarie

Cele mai importante două zile din viața ta sunt ziua în care te-ai născut și ziua în care afli de ce.

Mark Twain

8 ianuarie

Undeva, ceva incredibil așteaptă
să fie descoperit.

Carl Sagan

9 ianuarie

Să poți să te uiți cu satisfacție
în urmă la viața ta înseamnă să trăiești
de două ori.

Khalil Gibran

Fragment din *365 de zile*,
de R.J. Palacio, traducere de Ioana Vîlcu,
carte în curs de apariție la Editura Arthur

Grupul Editorial ART
Comenzi – Cartea prin poștă
C.P. 4, O.P. 83, cod 062650, sector 6, București
tel.: 021.224.01.30, 0744.300.870, 0721.213.576;
fax: 021.369.31.99
Comenzi – online
www.editura-arthur.ro